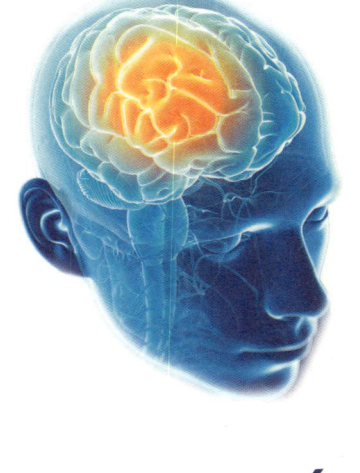

Formas--Pensamento

Criações Mentais por meio da Matéria Fluídica

Annie Besant
C. W. Leadbeater

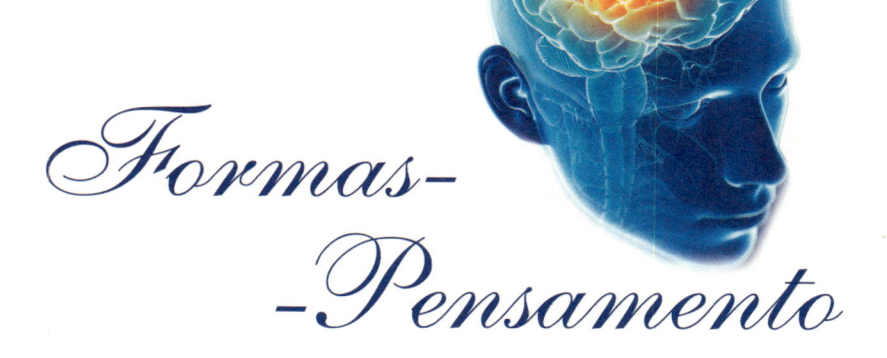

Formas--Pensamento

Criações Mentais por meio da Matéria Fluídica

Tradução:
Soraya Borges de Freitas

Publicado originalmente em inglês sob o título *Thought-Forms*.
Direitos de tradução para todos os países de língua portuguesa.
© 2025, Madras Editora Ltda.

Editor:
Wagner Veneziani Costa (*in memoriam*)

Produção e Capa:
Equipe Técnica Madras

Tradução:
Soraya Borges de Freitas

Revisão da Tradução:
Jefferson Rosado

Revisão:
Ana Paula Luccisano
Jerônimo Feitosa

**Dados Internacionais de Catalogação na Publicação
(CIP)(Câmara Brasileira do Livro, SP, Brasil)**

Besant, Annie, 1847-1933.
Formas-pensamento: criações mentais por meio da matéria fluídica/Annie Besant, C. W. Leadbeater; tradução Soraya Borges de Freitas. – São Paulo: Madras, 2025.
Título original: Thought-forms

ISBN 978-85-370-0972-7

    1. Formas de pensamento – Aspectos religiosos – Teosofia 2. Teosofia – Doutrinas I. Leadbeater, C. W., 1854-1934. II. Título.

15-05480   CDD-299.934

    Índices para catálogo sistemático:
    1. Teosofia: Religião 299.934

Os direitos de tradução desta obra pertencem à Madras Editora, assim como a sua adaptação e a coordenação. Fica, portanto, proibida a reprodução total ou parcial desta obra, de qualquer forma ou por qualquer meio eletrônico, mecânico, inclusive por meio de processos xerográficos, incluindo ainda o uso da internet, sem a permissão expressa da Madras Editora, na pessoa de seu editor (Lei nº 9.610, de 19/2/1998).

Todos os direitos desta edição, em língua portuguesa, reservados pela

MADRAS EDITORA LTDA.
Rua Paulo Gonçalves, 88 – Santana
CEP: 02403-020 – São Paulo/SP
Caixa Postal: 12183 – CEP: 02013-970
Tel.: (11) 2281-5555 – (11) 98128-7754
www.madras.com.br

O Significado das Cores

1. Espiritualidade sublime
2. Sentimento religioso com traços de temor
3. Solidariedade
4. Adaptabilidade
5. Egoísmo

1. Devoção mesclada com afeto
2. Intelecto elevadíssimo
3. Amor pela humanidade
4. Inveja
5. Avareza

1. Dedicação a um ideal nobre
2. Intelecto forte
3. Afetos altruístas
4. Falsidade
5. Fúria

1. Sentimento religioso puro
2. Tipo de intelecto inferior
3. Afeto egoísta
4. Medo
5. Sensualidade

1. Sentimento religioso e egoísta
2. Orgulho
3. Afeto puro
4. Depressão
5. Malícia

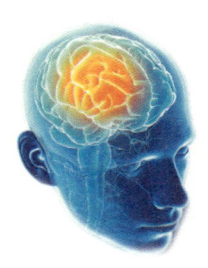

Índice

Prefácio	9
Formas-Pensamento	11
A Dificuldade de Representação	17
O Duplo Efeito do Pensamento	23
Como Age a Vibração	25
A Forma e Seu Efeito	27
Princípios gerais	35
O Significado das Cores	37
Três Classes de Formas-Pensamento	41
Explicativo das Formas-Pensamento	47
Afeto	47
Devoção	53
Intelecto	60
Raiva	65
Solidariedade	70
Medo	71
Ganância	72
Várias emoções	74
Formas vistas na meditação	86
Pensamentos úteis	100
Formas construídas pela música	101

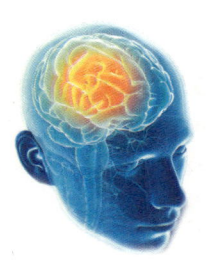

Prefácio

Este pequeno livro é fruto de uma parceria minha com o sr. Leadbeater; um pouco dele apareceu como um artigo da *Lucifer* (atual *Theosophical Review*), mas a maior parte é nova. Os desenhos e as pinturas das Formas-Pensamento observadas por ele, por mim ou por nós dois juntos, foram feitos por três amigos: sr. John Varley, sr. Prince e srta. Macfarlane, a quem estendemos nosso cordial agradecimento. Pintar nas cores apagadas da Terra as formas revestidas da luz viva de outros mundos é uma tarefa árdua e ingrata, por isso devemos agradecer muito mais àqueles que tentaram. Eles tiveram de colorir o fogo e tinham apenas as cores terrenas. Precisamos agradecer também ao sr. F. Bligh Bond por nos deixar usar seu ensaio sobre *Figuras Vibracionais* e alguns de seus excelentes desenhos. Outro amigo, que nos enviou observações e alguns desenhos, insiste em permanecer anônimo e, respeitando seu desejo, nós só podemos agradecer a ele.

Temos a esperança sincera, assim como a crença, de que este livro sirva como uma lição de moral surpreendente a cada leitor, fazendo-o perceber a natureza e o poder de seus pensamentos, agindo como um estímulo à nobreza, um controle do abjeto. Com essa crença e esperança nós o legamos ao mundo.

Annie Besant

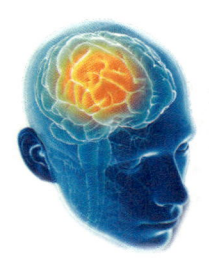

Formas-Pensamento

Com o aumento do conhecimento, a atitude da ciência em relação às coisas do mundo invisível passa por uma mudança considerável. Sua atenção não é mais direcionada apenas à Terra com toda sua variedade de objetos ou aos mundos físicos ao seu redor, mas se vê compelida a olhar mais além e a construir hipóteses quanto à natureza da matéria e da força que residem nas regiões além do horizonte de seus instrumentos. O éter agora está confortavelmente acomodado no reino científico, tornando-se quase mais do que uma hipótese. O mesmerismo, sob seu novo nome de hipnose, não é mais rejeitado. Os experimentos de Reichenbach ainda são vistos com desconfiança, mas não são totalmente condenados. Os raios de Röntgen rearranjaram algumas das ideias mais antigas da matéria, enquanto o rádio as revolucionou e leva a ciência além dos limites do éter no mundo astral. As fronteiras entre as matérias animada e inanimada se rompem. Descobre-se que os ímãs possuem poderes quase fantásticos, transferindo certas formas de doença de um modo ainda não muito bem explicado. Telepatia, clarividência, o movimento sem contato, embora ainda não sejam admitidos no plano científico, aproximam-se do estágio Cinderela. Fato é que a ciência impôs tanto suas pesquisas até agora, usou tamanha perspicácia rara em seus questionamentos da natureza e demonstrou uma paciência incansável em suas investigações e está recebendo a recompensa daqueles que buscam, e forças e seres do próximo plano da natureza mais elevado começam a se mostrar na margem externa do campo físico. "A natureza não dá saltos", como o naturalista perto dos confins de seu reino, ele se vê desnorteado pelos toques e vislumbres de outro reino que interpenetram o seu. Ele se vê compelido a especular sobre presenças invisíveis, ou mesmo achar uma explicação racional para fenômenos físicos incontestáveis, e tropeça sem perceber na fronteira, comunicando-se com o plano astral mesmo sem saber.

Um dos caminhos mais interessantes do físico para o astral é o estudo do pensamento. O cientista ocidental, começando na anatomia e na fisiologia do cérebro, tenta fazer disso a base de uma "psicologia sólida". Ele passa então ao domínio dos sonhos, ilusões, alucinações e, quando tenta elaborar uma ciência experimental que os classificará e organizará, ele inevitavelmente mergulha no plano astral. O dr. Hippolyte Baraduc, de Paris, já quase cruzou a barreira e está no caminho de fotografar imagens astromentais para obter fotos do que seriam, do ponto de vista materialista, os resultados das vibrações na massa cinzenta do cérebro.

Aqueles que deram importância à questão de que as impressões foram produzidas pelo reflexo dos raios ultravioleta de objetos não visíveis pelos raios do espectro comum sabem disso há muito tempo. Os clarividentes às vezes as justificavam pela presença, nas placas fotográficas sensíveis, de figuras vistas e descritas por eles como presentes, como se estivessem perto deles, ainda que invisíveis ao aspecto físico. Não é possível para um julgamento imparcial rejeitar completamente as evidências de tais ocorrências oferecidas por homens de integridade sobre a força de seus experimentos, repetidos muitas vezes. E agora temos investigadores que se dedicam a obter imagens de formas sutis, inventando métodos criados especialmente com a intenção de reproduzi-las. Dentre eles, aquele que teve maior êxito foi o dr. Baraduc, que publicou um volume a respeito de suas investigações, com reproduções das fotos. Ele declara estar investigando as forças sutis pela qual a alma – definida como a inteligência trabalhando entre corpo e espírito – se expressa, tentando registrar seus movimentos com uma agulha, suas vibrações "luminosas", mas invisíveis, por impressões em placas sensíveis. Ele elimina pela eletricidade de não condutores e pelo calor. Podemos ignorar seus experimentos em Biometria (medição da vida pelos movimentos) e analisar aqueles em Iconografia – as impressões das ondas invisíveis, consideradas por ele como a natureza da luz na qual a alma imprime sua própria imagem. Várias dessas fotografias representam os resultados etéreos e magnéticos dos fenômenos físicos, e estes também podemos ignorar por não terem ligação com nosso assunto especial, por mais interessante que sejam. O dr. Baraduc obteve várias impressões pensando bem em um objeto, com o efeito produzido pela forma-pensamento aparecendo em uma placa sensível; dessa forma, ele tentou projetar um retrato de uma senhora (então falecida) que ele conhecera e produziu uma impressão com o pensamento de um desenho que ele fizera dela em seu leito de morte. Ele diz com propriedade que a criação de um objeto é a transmissão de uma imagem da mente e sua materialização posterior, e busca o efeito químico provocado em sais de prata por essa tela criada pelo pensamento. Uma ilustração impressionante é a de uma força irradiando: a projeção de uma oração fervorosa. Outra oração é vista produzindo formas como a fronte de uma samambaia, outra como uma chuva ascendente, se essa expressão fosse possível. Uma massa alongada e ondulada é projetada por três pessoas, expressando o pensamento em sua harmonia no afeto. Um menino triste afagando um pássaro morto é cercado por um fluxo de fios entrelaçados curvados de perturbação emocional. Um vórtice forte se forma por um sentimento de tristeza profunda. Ao analisarmos essa série muito interessante e sugestiva, fica claro que nessas representações não se obtém a imagem do pensamento, mas sim o efeito provocado na matéria etérea por suas vibrações, e é preciso ver o pensamento com clarividência para entender os resultados produzidos. De fato, as ilustrações são instrutivas, tanto para o que não mostram diretamente, como para as imagens que aparecem.

Pode ser útil apresentar aos estudiosos, com um pouco mais de franqueza do que foi feito antes, alguns dos fatos na natureza que deixarão os resultados aos quais o dr. Baraduc chega mais inteligíveis. Por mais necessariamente imperfeitos que sejam, uma câmera fotográfica física e placas sensíveis não são os instrumentos ideais para a pesquisa astral, mas, como vimos anteriormente, elas são muito interessantes e valiosas por formarem um elo entre as investigações científicas clarividentes e físicas.

Neste momento, observadores de fora da Sociedade Teosófica preocupam-se com o fato de mudanças emocionais mostrarem sua natureza com alterações de cor no ovoide enevoado, ou aura, que cinge todos os seres humanos. Artigos sobre o assunto aparecem em trabalhos sem ligação com a Sociedade Teosófica; por exemplo, um especialista em medicina[1] coletou um grande número de casos, nos quais ele registra a cor da aura de pessoas de vários tipos e temperamentos. Seus resultados lembram muito aqueles obtidos por teosofistas clarividentes, entre outros, e a unanimidade geral sobre o assunto é suficiente para determinar o fato, se a evidência for julgada pelos cânones usuais aplicados ao testemunho humano.

O livro *Man Visible and Invisible* trata do assunto geral da aura. Este pequeno volume, escrito por C. W. Leadbeater e uma colega teosofista, pretende levar o assunto adiante. Acredita-se que este estudo seja útil, por gravar com nitidez na mente do aluno o poder e a natureza viva do pensamento e do desejo, e a influência exercida por eles em todos aqueles que alcançam.

---

1. Dr. Hooker, Gloucester Place, Londres, W.

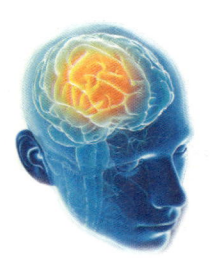

A Dificuldade de Representação

Ouvimos muito que pensamentos são coisas, e muitos entre nós são persuadidos da verdade dessa declaração. Mas pouquíssimos têm uma ideia clara de que tipo de coisa o pensamento é, e o objetivo deste livro é nos ajudar a compreender isso.

Há algumas dificuldades sérias em nosso caminho, pois nossa concepção de espaço limita-se a três dimensões e, quando tentamos fazer um desenho, nos restringimos praticamente a duas. Na realidade, até a apresentação de objetos tridimensionais é gravemente imperfeita, pois raramente uma linha ou um ângulo são mostrados com precisão. Se uma estrada cruzar a imagem, a parte da frente deve ser representada muito mais larga do que no fundo, embora na realidade a largura não mude. Se uma casa for desenhada, os ângulos retos em seus cantos devem ser mostrados agudos ou obtusos, conforme o caso, mas raramente como são na verdade. Na realidade, não desenhamos tudo como é, mas como parece, e o esforço do artista é pôr um arranjo habilidoso de linhas sobre uma superfície plana para transmitir ao olho uma impressão que deva lembrar a de um objeto tridimensional.

É possível fazer isso só porque objetos semelhantes já são familiares àqueles que representam a imagem e aceitam a sugestão transmitida por ela. Uma pessoa que nunca tenha visto uma árvore não poderia formar a ideia de uma, mesmo com a pintura mais habilidosa. Se, a essa dificuldade, acrescentarmos outra, ainda mais grave, da limitação da consciência, e supusermos que mostramos a imagem a um ser que só conhecesse duas dimensões, verificamos como é completamente impossível transmitir a ele qualquer impressão adequada dessa paisagem como a vemos. É precisamente essa dificuldade em sua forma mais agravada que fica em nosso caminho quando tentamos desenhar até a forma-pensamento mais simples. A grande maioria daqueles que olham para a imagem fica absolutamente limitada à consciência das três dimensões e, além disso, não tem a menor noção daquele mundo interno ao qual as formas-pensamento pertencem, com toda sua luz e cor esplêndidas. Tudo que podemos fazer, na melhor das hipóteses, é representar uma parte da forma-pensamento; e aqueles cujas faculdades os deixam ver o original não podem ficar chateados com qualquer reprodução dela. Entretanto, aqueles incapazes de ver qualquer coisa conseguirão pelo menos ter uma compreensão parcial e, por mais inadequada que possa ser, pelo menos é melhor do que nada.

Todos os estudiosos sabem que aquilo que chamamos de aura do homem é a parte externa da substância enevoada de seus corpos mais elevados, interpenetrando-se e estendendo-se para além dos confins de seu corpo físico, o menor de todos. Sabem também que dois desses corpos, o mental e o do desejo, são aqueles relacionados principalmente com a aparência das chamadas formas de pensamento. Mas, para que a questão seja esclarecida para todos, não apenas para aqueles já familiarizados com os ensinamentos teosóficos, uma recapitulação dos principais fatos é bem-vinda.

O Homem, o Pensador, está envolto em um corpo composto de inúmeras combinações da matéria sutil do plano mental. Um corpo mais ou menos sofisticado em seus elementos e razoavelmente organizado para suas funções, de acordo com o grau de desenvolvimento intelectual alcançado pelo homem. O corpo mental é um objeto de grande beleza, com a delicadeza e o movimento rápido de suas partículas dando-lhe um aspecto de luz iridescente estimulante, e essa beleza torna-se uma graça extraordinariamente radiante e arrebatadora conforme o intelecto evolui mais e é empregado principalmente em tópicos puros e sublimes. Todo pensamento dá origem a um conjunto de vibrações correlatas na matéria de seu corpo, acompanhado por um maravilhoso espectro de cores, como aquelas na bruma de uma cachoeira iluminada pelo sol, elevada à enésima potência de cor e delicadeza vívida. Sob este impulso, o corpo projeta uma parte vibrante de si, moldada pela natureza das vibrações, assim como figuras feitas na areia por um disco vibrando com uma nota musical, e infere-se isso pela matéria da atmosfera do ambiente com sua natureza sutil vinda da essência elementar do mundo mental. Temos assim a forma-pensamento pura e simples, uma entidade viva de atividade intensa animada pela ideia que a gerou. Se for constituída dos tipos mais perfeitos de matéria, será de grande poder e energia e poderá ser usada como um agente potente quando dirigida por uma vontade firme e forte. A seguir, daremos detalhes desse uso.

Quando a energia do homem flui para os objetos externos de desejo ou fica ocupada com atividades passionais e emocionais, ela funciona em uma ordem de matéria menos sutil do que a mental, a do mundo astral. O chamado corpo de desejo é composto dessa matéria e forma a parte mais proeminente da aura no homem rudimentar. Quando o homem for de um tipo bronco, o corpo de desejo do plano astral será de uma matéria mais densa e tem um matiz apagado, com predominância de tons sujos de verde, marrom e vermelho. Por essa vontade reluzirão várias cores características, conforme suas paixões são estimuladas. Um homem de tipo mais elevado tem o corpo de desejo composto pelas qualidades mais sofisticadas da matéria astral, com as cores ondulando e brilhando por meio dele, com tonalidades puras e claras. Embora seja menos delicado e radiante do que o corpo mental, este corpo forma um lindo objeto e, quando o egoísmo é eliminado, todos os tons mais apagados e fortes desaparecem.

Esse corpo de desejo (ou astral) dá origem a uma segunda classe de entidades, semelhantes em sua constituição geral às formas-pensamento já descritas, mas limitadas ao plano astral e geradas pela mente sob o domínio da natureza animal.

Essas entidades são causadas pela atividade da mente inferior, projetando-se pelo corpo astral – a atividade de *Kâma-Manas** na terminologia teosófica, ou a mente dominada pelo desejo. Neste caso, as vibrações no corpo de desejo, ou astral, estão definidas e sob elas esse corpo projeta uma porção vibratória de si, moldada, como no caso anterior, pela natureza das vibrações, e isso atrai para si um pouco da essência elementar adequada do mundo astral. Tal forma-pensamento tem como seu corpo essa essência elementar e como alma animadora o desejo ou paixão que projetou; a força da forma-pensamento estará de acordo com a quantidade de energia mental combinada com esse desejo ou paixão. Estes, assim como aqueles pertencentes ao plano mental, chamam-se elementais artificiais e são, de longe, os mais corrigueiros, pois poucos pensamentos dos homens comuns não são marcados por desejo, paixão ou emoção.

---

*N.E.: *Kama* = desejo; *Manas* = mente. *Kama-Manas* é o criador da forma-pensamento.

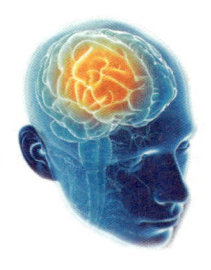

O Duplo Efeito do Pensamento

Cada pensamento definido produz um efeito duplo: uma vibração radiante e uma forma flutuante. O pensamento em si aparece primeiro para a visão clarividente como uma vibração no corpo mental, que pode ser simples ou complexa. Se ele for absolutamente simples, há apenas uma categoria de vibração, e somente um tipo de matéria mental será bem afetado. O corpo mental é composto de matéria com vários graus de densidade, que costumamos arranjar em classes segundo os subplanos. Temos muitas subdivisões de cada uma delas e, se as exemplificarmos desenhando linhas horizontais para indicar os diferentes graus de densidade, há outro arranjo que deveríamos simbolizar desenhando linhas perpendiculares em ângulos retos com as outras para denotar os tipos que diferem tanto em qualidade como em densidade. Portanto, há muitas variedades dessa matéria mental e descobre-se que cada uma delas tem seu próprio padrão de vibração, ao qual parece tão acostumada que logo responde a ele e tende a voltar ao padrão o mais breve possível, ao ser expurgada dele por alguma forte afluência de pensamento ou sentimento. Quando uma onda repentina de alguma emoção inunda um homem, por exemplo, seu corpo astral é lançado em uma agitação violenta e suas cores originais são momentaneamente quase obscurecidas por um rubor carmesim, azul ou escarlate que corresponde ao padrão vibratório daquela emoção específica. Essa mudança é apenas temporária, passa em alguns segundos, e o corpo astral logo retoma sua condição habitual. No entanto, cada sentimento súbito produz um efeito permanente: sempre acrescenta um pouco de seu matiz à coloração normal do corpo astral, de tal modo que, sempre que o homem se entrega a uma certa emoção, fica mais fácil para ele entregar-se a ela de novo, pois seu corpo astral adquire o hábito de vibrar nesse padrão especial.

Porém, a maioria dos pensamentos humanos é simples. Claro que existe o afeto absolutamente puro, mas muitas vezes o encontramos tingido de orgulho ou egoísmo, ciúme ou paixão animal. Isso significa que pelo menos duas vibrações separadas aparecem nos corpos mental e astral, muitas vezes mais do que duas. A vibração radiante, portanto, será complexa e a forma-pensamento resultante mostrará várias cores em vez de apenas uma.

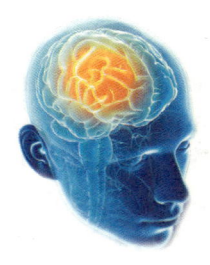

Como Age a Vibração

Essas vibrações radiantes, assim como todas as outras na natureza, enfraquecem em proporção à distância de sua fonte, embora seja provável que a variação seja em razão do cubo da distância, em vez do quadrado, por causa da dimensão adicional envolvida. Mais uma vez, assim como todas as outras vibrações, essas tendem a se reproduzir em qualquer oportunidade oferecida; então, sempre que elas encontram outro corpo mental, costumam provocar nele seu próprio padrão de movimento. Isto é, do ponto de vista do homem cujo corpo mental é tocado por essas ondas, elas tendem a produzir em sua mente pensamentos do mesmo tipo que já havia aparecido antes na mente do pensador que emitiu as ondas. A distância à qual essas formas-pensamento penetram, além da força e persistência com que elas incidem sobre os corpos mentais dos outros, depende da força e da clareza do pensamento original. Dessa forma, o pensador fica na mesma posição do orador. A voz deste movimenta ondas sonoras no ar emitidas por ele em todas as direções e transmite sua mensagem àqueles dentro do alcance da voz, e a distância na qual sua voz pode penetrar depende de sua potência e da clareza de sua enunciação. Da mesma forma, o pensamento forte irá muito mais além do que o fraco e indeciso, mas clareza e precisão são ainda mais importantes do que a força. Mais uma vez, assim como a voz do falante pode encontrar ouvidos moucos, nos quais os homens já estiveram ocupados com negócios ou prazer, uma onda de pensamento potente pode passar muito rápido sem afetar a mente do homem, se ele já estiver profundamente absorto em alguma outra linha de pensamento.

Deve-se entender que essa vibração radiante transmite o caráter do pensamento, mas não seu assunto. Se um hindu se senta enlevado em devoção a Krishna, as ondas de sentimento que emanam dele estimulam o sentimento religioso em todo aquele que se aproxima sob sua influência, embora, no caso dos muçulmanos, a devoção seja a Alá, enquanto para o zoroastrista seja a Ahuramazda, ou para o cristão é a Jesus. Um homem, pensando bem em algum assunto sublime, emana de si vibrações que tendem a incitar um pensamento em um nível semelhante nos outros, mas ele não sugere a esses outros de jeito nenhum o assunto especial de seu pensamento. Elas agem naturalmente com vigor especial sobre essas mentes já habituadas às vibrações de caráter semelhante, mas, por terem algum efeito sobre todo corpo mental sobre o qual elas incidem, sua tendência é despertar o poder do pensamento mais elevado naqueles para quem isso ainda não se tornou um hábito. Portanto, é evidente que todo aquele que pensa em linhas elevadas faz um trabalho missionário, mesmo não tendo consciência disso.

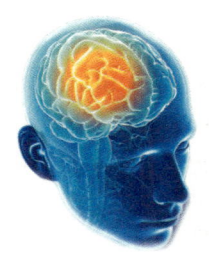

A Forma e Seu Efeito

Discutiremos agora o segundo efeito do pensamento: a criação de uma forma definida. Todos os estudiosos do ocultismo estão familiarizados com a ideia da essência elementar, aquela estranha vida semi-inteligente que nos cerca em todas as direções, dando vida à matéria dos planos mental e astral. Essa matéria assim animada responde prontamente à influência do pensamento humano, e cada impulso enviado, seja do corpo mental ou do corpo astral do homem, logo passa a ser um invólucro temporário dessa matéria vitalizada. Tal pensamento ou impulso torna-se nesse momento uma espécie de criatura viva, com a força do pensamento como a alma e a matéria vivificada como o corpo. Em vez de usar a paráfrase um tanto desajeitada: "matéria astral ou mental dotada de alma pela essência monádica no estágio de um dos reinos elementais", os autores teosofistas muitas vezes, por concisão, chamam essa matéria estimulada simplesmente de essência elemental; e às vezes falam da forma-pensamento como "um elemental". Deve haver uma variedade infinita na cor e no formato desses elementais ou formas de pensamento, pois cada pensamento atrai ao redor de si a matéria apropriada para sua expressão e a coloca na vibração em harmonia com a sua; portanto, o caráter do pensamento decide sua cor, e o estudo de suas variações e combinações é interessantíssimo.

Essa forma-pensamento não pode ser inadequadamente comparada a uma garrafa de Leyden; com a garrafa que simboliza a cobertura da essência viva e a descarga de eletricidade como a energia do pensamento. Se o pensamento ou sentimento do homem estiver diretamente ligado com outra pessoa, a forma-pensamento resultante se move na direção dessa pessoa e descarrega-se em seus corpos astral e mental. Se o pensamento do homem for em si mesmo ou basear-se em um sentimento pessoal, como no caso da grande maioria dos pensamentos, ele paira ao redor de seu criador e está sempre pronto a reagir sobre ele, sempre que, por um momento, ele estiver em uma condição passiva. Por exemplo, um homem que se entrega a pensamentos impuros pode esquecer todos eles quando estiver ocupado com a rotina diária de seu trabalho, mesmo com as formas resultantes vagando ao seu redor em uma nuvem pesada, porque sua atenção está direcionada para outra atividade e, portanto, seu corpo astral não se impressiona com qualquer outro padrão de vibração além do seu.

Quando, porém, a vibração marcada fica mais lenta, o homem descansa de seu trabalho e deixa a mente em branco; em se tratando de um pensamento definido, é muito provável que ele sinta a vibração da impureza pairando furtivamente sobre ele. Se a consciência do homem estiver estimulada de algum modo, ele pode perceber isso e reclamar que está sendo tentado pelo Demônio, mas a verdade é que a tentação só parece vir de fora, porém não passa de uma reação natural de suas próprias formas-pensamento sobre ele.

Cada homem viaja pelo espaço preso em uma jaula construída por ele mesmo, cercado por uma massa de formas criadas por seus pensamentos habituais. Por esse meio ele contempla o mundo, vê tudo naturalmente tingido com suas cores predominantes, e todos os padrões externos de vibração que o atingem são mais ou menos modificados por esse padrão. Por isso, até o homem aprender a ter controle completo do pensamento e do sentimento, ele não vê nada como realmente é, pois todas as suas observações devem ser feitas por esse meio, que distorce e colore tudo como óculos malfeitos.

Se a forma-pensamento não for definitivamente pessoal, nem direcionada especialmente para outra pessoa, ela simplesmente flutua sozinha na atmosfera, irradiando o tempo todo vibrações semelhantes àquelas emitidas originalmente por seu criador. Se ela não entrar em contato com qualquer outro corpo mental, essa radiação esgota gradualmente seu estoque de energia e, nesse caso, a forma se despedaça; mas se ela conseguir despertar uma vibração solidária em qualquer corpo mental mais próximo, ocorre uma atração, e a forma-pensamento costuma ser absorvida pelo corpo mental.

Portanto, vemos que a influência da forma-pensamento não tem um alcance tão grande como a da vibração original, mas, enquanto age, o faz com uma precisão muito maior. O que ela produz no corpo mental que influencia não é apenas um pensamento de uma ordem semelhante àquele que deu origem, mas na verdade é o mesmo pensamento. A radiação pode afetar milhares e incitar neles pensamentos no mesmo nível do original, mas ainda pode acontecer de nenhum deles ser idêntico ao original; a forma-pensamento só pode afetar pouquíssimos, mas nesses poucos casos reproduzirá exatamente a ideia inicial.

O fato da criação por vibrações de uma forma distinta, geométrica ou outra, já é familiar a todo estudioso de acústica, e as figuras de Chladni são sempre reproduzidas em todo laboratório de física.

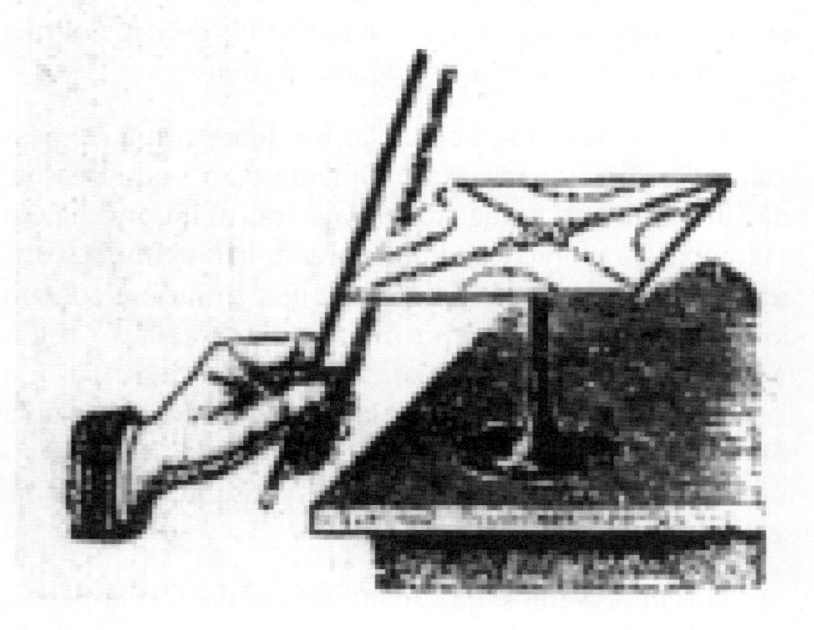

Fig. 1 Placa sonora de Chladni.

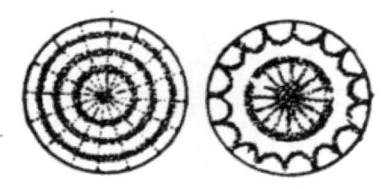

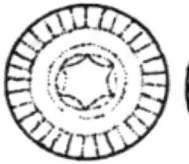

Fig. 2 Formas produzidas pelo som.

A breve descrição a seguir pode ser útil para o leitor leigo. Uma placa sonora de Chladni (figura 1) é feita de latão ou lâmina de vidro. Grãos de areia fina ou esporos são espalhados na superfície e a borda da placa é curvada. A areia é lançada no ar pela vibração da placa e recai arranjada em linhas regulares (figura 2). Ao tocar a borda da placa em pontos diferentes quando esta é curvada, obtêm-se notas diferentes e, portanto, formas variadas (figura 3). Se compararmos as figuras apresentadas aqui com aquelas obtidas da voz humana, muitas semelhanças serão observadas. Para estas, as "formas de voz" tão bem estudadas e retratadas pela sra. Watts Hughes,[2] que confirmam o fato, devem ser consultadas, e sua obra sobre o assunto deve estar nas mãos de todo estudioso. Mas talvez poucos tenham percebido que as formas retratadas se devam à interação das vibrações que as criam, que existe uma máquina com a qual dois ou mais movimentos simultâneos podem ser transmitidos a um pêndulo e, ao juntarem uma caneta a uma alavanca conectada a um pêndulo, sua ação pode ser traçada com exatidão. Substitua o balanço do pêndulo pelas vibrações emitidas pelo corpo

---

2. *The Eidophone Voice Figures*, de Margaret Watts Hughes.

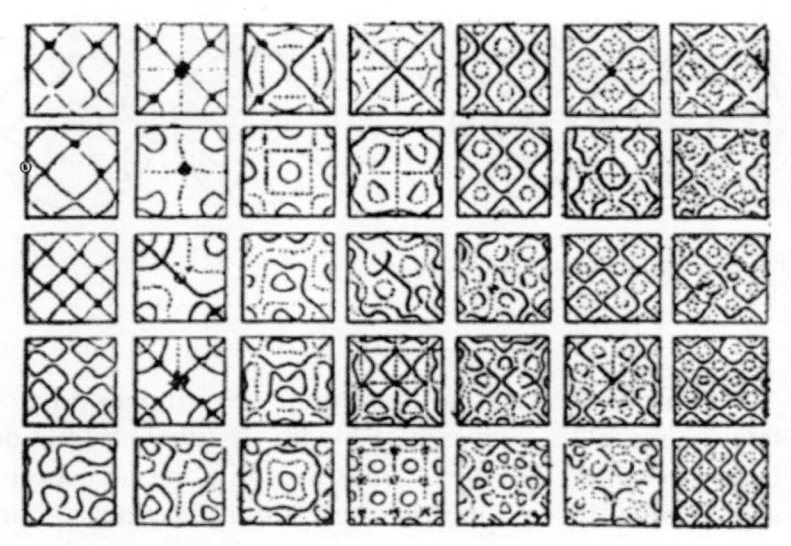

Fig. 3 Formas produzidas pelo som.

mental ou astral e teremos claramente diante de nós o *modus operandi* da construção das formas pelas vibrações.[3]

A próxima descrição foi retirada de um ensaio muito interessante de F. Bligh Bond, F.R.I.B.A., chamado *Vibration Figures,* que desenhou várias figuras extraordinárias usando pêndulos. O pêndulo é suspenso em fios de navalha de aço endurecido e fica livre para balançar apenas em ângulos retos com a suspensão do fio da navalha. Quatro desses pêndulos podem ser emparelhados, oscilando em ângulos retos um com o outro, por fios unindo as hastes de cada par de pêndulos com as extremidades de uma ripa

---

3. Sr. Joseph Gould, Stratford House, Nottingham, fornece o pêndulo elíptico gêmeo, com o qual essas figuras maravilhosas podem ser produzidas.

leve, mas rígida de cujo centro saem outros fios; esses fios conduzem os movimentos unidos de cada par de pêndulos a um quadrado leve de madeira, suspenso por uma mola, que carrega uma caneta. A caneta é controlada pelo movimento combinado dos quatro pêndulos, registrado em uma prancheta pela caneta. Na teoria, não há limites para o número de pêndulos que podem ser combinados dessa forma. Os movimentos são retilíneos, mas duas vibrações retilíneas de mesma amplitude, agindo em ângulos retos uma com a outra, geram um círculo, se elas se alternarem com precisão; e uma elipse, se as alternâncias forem menos regulares ou se as amplitudes forem desiguais.

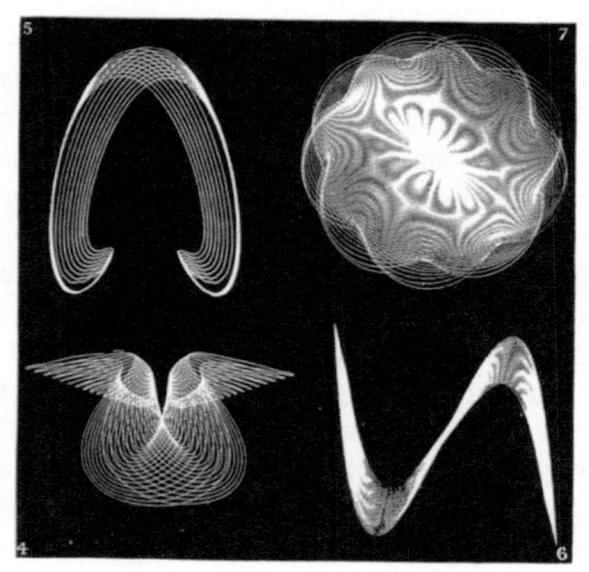

Figs. 4-7 Formas produzidas por pêndulos.

Uma vibração cíclica também pode ser obtida de um pêndulo livre para balançar em uma trajetória rotativa. Dessas formas obteve-se uma série maravilhosa de desenhos e a semelhança deles com algumas das formas-pensamento impressiona; eles bastam para demonstrar como as vibrações podem ser logo transformadas em figuras. Portanto, compare a figura 4 com a 12, a oração da mãe; ou a figura 5 com a 10; ou a 6 com a 25, as formas sinuosas parecidas com uma serpente. A figura 7 foi acrescentada como uma ilustração da complexidade atingível.

Parece-nos maravilhoso que alguns dos desenhos, feitos aparentemente ao acaso com essa máquina, correspondam com exatidão aos tipos mais elevados de formas-pensamento criadas na meditação. Temos certeza de que uma riqueza de significado está por trás desse fato, embora muito mais investigação será necessária antes de podermos dizer com exatidão o que tudo isso significa. Mas com certeza deve significar isso – que, se duas forças no plano físico com uma certa proporção entre si podem desenhar uma forma que corresponda exatamente àquela produzida no plano mental por um pensamento complexo, podemos inferir que esse pensamento aciona em seu próprio plano duas forças que estão em uma mesma proporção entre si. Ainda precisamos analisar o que são essas forças e como elas funcionam, mas, se algum dia conseguirmos resolver este problema, é provável que se abra para nós um campo de conhecimento novo e valiosíssimo.

Princípios Gerais

Três princípios gerais permeiam a produção de todas as formas de pensamento:

1. A qualidade do pensamento determina a cor.

2. A natureza do pensamento determina a forma.

3. A exatidão do pensamento determina a clareza do contorno.

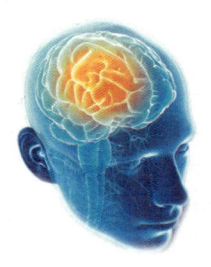

O Significado das Cores

A tabela de cores apresentada no início do livro já foi totalmente descrita na obra *Man Visible and Invisible*, e o significado a ser designado a elas é o mesmo na forma-pensamento e no corpo do qual ela deriva. Para aqueles que não têm à mão a descrição completa apresentada no livro mencionado, vale lembrar que o preto significa ódio e malícia. Todos os tons de vermelho, do pálido vermelho telha ao vermelho escarlate brilhante, indicam raiva; a raiva brutal aparecerá como lampejos de um avermelhado pálido das nuvens castanho-escuras, enquanto a raiva da "indignação nobre" é de um vermelho vivo, quase belo, embora dê uma sensação desagradável; um vermelho particularmente escuro e desprezível, quase exatamente da cor chamada de sangue de dragão, mostra uma paixão animalesca e o desejo sensual de vários tipos. O castanho-claro (quase um ferrugem) transmite avareza; o castanho acinzentado fosco sólido é um sinal de egoísmo – uma cor que é dolorosamente comum; o cinza chumbo significa depressão, ao passo que um cinza-claro pastel está associado ao medo; o cinza esverdeado é um sinal de falsidade, enquanto o marrom esverdeado (em geral manchado com pontos e lampejos de vermelho escarlate) indica ciúme. O verde parece sempre simbolizar adaptabilidade; no caso mais inferior, quando combinada ao egoísmo, essa adaptabilidade torna-se falsidade; no último estágio, quando a cor fica mais pura, significa o desejo de ser todas as coisas para todos os homens, mesmo que seja principalmente para se tornar popular e ter uma boa reputação entre eles; em seu aspecto ainda mais elevado, delicado e luminoso, mostra o poder divino da solidariedade. O afeto se expressa em todos os tons de carmesim e rosa; um bordô-claro puro significa um afeto saudável forte, de tipo normal; se for bem tingido com marrom acinzentado, indica um sentimento egoísta e sôfrego, enquanto o rosa pastel puro marca o amor absolutamente altruísta, possível apenas para naturezas sublimes; a cor passa do carmesim apagado do amor animalesco aos mais belos tons de rosa delicado, como os primeiros rubores da aurora, conforme o amor se purifica de todos os elementos egoístas e emana em círculos cada vez maiores de ternura e compaixão impessoais e generosas a todos os necessitados. Com um toque do azul da devoção, a cor pode expressar uma forte realização da fraternidade universal da humanidade. O laranja profundo significa orgulho ou ambição, e os vários tons de amarelo denotam intelecto ou gratificação intelectual: o ocre apagado sugere a direção dessa faculdade para propósitos egoístas, enquanto o amarelo-ouro claro mostra um tipo mais elevado e o amarelo pastel luminoso é um sinal do uso mais sublime e altruísta do poder intelectual, a razão pura direcionada a fins espirituais. Todos os diferentes tons de azul indicam um sentimento religioso e variam por todos os matizes, desde o marrom azulado escuro da devoção egoísta ou o azul acinzentado claro do culto fetichista com traços de medo, até a cor clara profunda e rica da adoração sincera e o lindo azul-celeste claro da forma mais elevada, que significa abnegação e união com o divino; o pensamento religioso de um coração altruísta tem uma cor adorável, como o azul profundo do céu de verão. Em meio a essas nuvens de azul brilharão estrelas douradas de grande luminosidade, lançadas para cima como uma chuva de faísca. Uma mistura de afeto e devoção é manifestada por um matiz de violeta, cujos tons mais delicados mostram a capacidade de absorver e responder a um ideal sublime e belo. O brilho e a intensidade das cores costumam ser uma medida da força e da atividade do sentimento.

Outra consideração que não deve ser esquecida é o tipo de matéria na qual essas formas são geradas. Se um pensamento for puramente intelectual ou impessoal, como, por exemplo, se o pensador estiver tentando resolver um problema de álgebra ou geometria, a forma-pensamento e a onda da vibração ficarão limitadas completamente ao plano mental. Se, porém, o pensamento for de natureza espiritual, se ele tiver traços de amor e desejo ou um sentimento altruísta profundo, a forma se elevará do plano mental e tomará emprestado muito do esplendor e da glória do nível búdico. Nesse caso, sua influência é poderosíssima, e cada pensamento desses é uma força considerável para o bem que só pode produzir um efeito decidido em todos os corpos mentais ao alcance, se eles contiverem qualquer qualidade capaz de resposta.

Se, por outro lado, o pensamento tiver algo da pessoa ou de desejo pessoal, imediatamente sua vibração cai e atrai ao redor de si um corpo de matéria astral além de seu revestimento de matéria mental. Como uma forma-pensamento dessas é capaz de agir nos corpos astrais e nas mentes de outros homens, ela não só promove pensamentos entre eles, como também incita seus sentimentos.

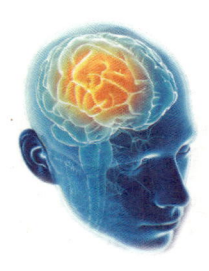

Três Classes de Formas-Pensamento

Do ponto de vista das formas que ele produz, podemos agrupar o pensamento em três classes:

1. Aquele que adota a imagem do pensador. Quando um homem pensa em si em algum lugar distante ou deseja muito estar nesse lugar, ele cria uma forma-pensamento à sua imagem que aparece lá. Essa forma foi algumas vezes vista pelos outros e às vezes foi confundida com o corpo astral ou a manifestação do homem. Nesse caso, quem vê deve ser bem clarividente na ocasião para conseguir observar esse formato astral, ou a forma-pensamento deve ter uma força suficiente para se materializar, isto é, atrair para o seu redor temporariamente certa quantidade de matéria física. O pensamento que gera uma forma dessas deve necessariamente ser forte e, portanto, emprega uma proporção maior da matéria do corpo mental, de modo que, embora a forma seja pequena e comprimida quando deixa o pensador, atrai ao seu redor uma quantidade considerável de matéria astral e costuma se expandir para um tamanho família antes de aparecer em seu destino.

2. Aquele que adota a imagem de algum objeto material. Quando um homem pensa em seu amigo, ele forma em seu corpo mental uma imagem minúscula da pessoa, que muitas vezes se exterioriza e flutua suspensa no ar diante dele. Da mesma forma, se ele pensar em uma sala, uma casa, uma paisagem, imagens minúsculas dessas coisas são formadas no corpo mental e depois exteriorizadas. Isso também é verdade quando ele exercita sua imaginação; o pintor que forma uma ideia de sua futura pintura a desenvolve com a matéria de seu corpo mental, e então a projeta no espaço à sua frente, a mantém diante do olho de sua mente e a copia. Da mesma forma, o romancista constrói imagens de seu personagem na matéria mental e, ao exercer sua vontade, ele tira essas marionetes de uma posição ou as agrupa em outra para que o enredo de sua história seja literalmente encenado diante de si. Com nossas noções de realidade curiosamente invertidas, é difícil entender que essas imagens mentais existem mesmo e são tão completamente objetivas que podem ser vistas pelo clarividente e podem até ser arranjadas por alguma outra pessoa além do criador. Alguns romancistas têm uma vaga consciência desse processo e declararam que suas personagens, depois de criadas, desenvolveram vontade própria e insistiram em levar o enredo da história por linhas bem diferentes daquelas originalmente imaginadas pelo autor. Isso aconteceu de verdade, às vezes porque as formas-pensamento foram dotadas da alma de espíritos brincalhões por natureza, ou muitas vezes porque algum romancista "morto", observando do plano astral o desenvolvimento do esboço de seu colega, achou que poderia aperfeiçoá-lo e escolheu esse método para dar suas sugestões.

3. Aquele que adota uma forma totalmente própria, expressando suas qualidades inerentes na matéria que atrai ao seu redor. Apenas as formas-pensamento dessa terceira classe teriam alguma utilidade ao serem ilustradas; para representar aquelas das primeira e segunda categorias, precisaríamos apenas desenhar retratos ou paisagens. Nesses tipos, temos as matérias mental ou astral plásticas moldadas imitando as formas pertencentes ao plano físico; no terceiro grupo vislumbramos as formas naturais para os planos astral ou mental. Entretanto, este fato, que as torna tão interessantes, impõe uma barreira intransponível no caminho de sua reprodução exata.

As formas-pensamento dessa terceira categoria quase invariavelmente se manifestam no plano astral, pois a grande maioria delas é expressão de sentimento e de pensamento. Aquelas cujos exemplos apresentamos aqui são quase totalmente desta categoria, exceto alguns exemplos das lindas formas-pensamento criadas em uma meditação positiva por aqueles que, após uma longa prática, aprenderam a pensar.

As formas-pensamento dirigidas a indivíduos produzem efeitos definitivamente marcados, sendo estas parcialmente reproduzidas na aura do destinatário, aumentando assim o resultado total, ou repelidas dele. Um pensamento de amor e de vontade de proteger dirigido a algum objeto amado cria uma forma que chega à pessoa imaginada e permanece em sua aura como um agente de defesa e proteção; buscará todas as oportunidades para servir e todas para defender, não por uma ação consciente e deliberada, mas seguindo cegamente o impulso impresso nela, e fortalecerá as forças amigáveis que encontrar na aura e enfraquecerá as adversas. Assim criamos e mantemos verdadeiros anjos da guarda ao redor daqueles que amamos, e muitas orações de mãe por um filho distante o circulam, embora ela não saiba por qual método suas "orações são atendidas".

Nos casos nos quais bons ou maus pensamentos são projetados para indivíduos, esses pensamentos, para cumprirem sua missão diretamente, devem encontrar, na aura do objeto a quem eles foram enviados, materiais capazes de responder com simpatia a suas vibrações. Qualquer combinação de matéria só pode vibrar dentro de certos limites definidos e, se a forma-pensamento estiver fora de todos os limites dentro dos quais a aura é capaz de vibrar, ela não poderá afetar a aura. Ela consequentemente ricocheteia com uma força proporcional à energia com a qual colidiu na pessoa. Por isso se diz que coração e mente puros são os melhores protetores contra qualquer ataque hostil, pois construirão um corpo astral e mental de materiais refinados e sutis e, portanto, esses corpos não podem responder a vibrações que exijam matérias grossas e densas. Se um pensamento mau, projetado com uma má intenção, atinge um corpo desses, só pode ricochetear nele e é atirado de volta com toda sua energia; ele então voa para trás, junto com a linha magnética de menor resistência, aquela que acabou de atravessar, e atinge seu projetor; este, por ter uma matéria em seus corpos astral e mental semelhante à da forma-pensamento gerada por ele, é lançado em vibrações reagentes e sofre os efeitos destrutivos que queria provocar no outro. Portanto, "o feitiço [e as bênçãos] viram contra o feiticeiro". Disso surgem também os efeitos graves de odiar ou suspeitar de um homem bom e avançado; as formas-pensamento enviadas contra ele não podem feri-lo e elas ricocheteiam contra seus criadores, despedaçando-os mental, moral ou fisicamente. Os membros da Sociedade Teosófica conhecem bem vários desses exemplos, após sua observação direta. Enquanto qualquer tipo mais grosseiro de matéria ligado com pensamentos maus e egoístas permanecerem no corpo de uma pessoa, ela fica aberta a ataques daqueles que lhe desejam mal, mas quando ela eliminá-lo perfeitamente pela autopurificação, seus adversários não poderão feri-la, e ela segue com calma e em paz em meio a todas as flechas de sua malícia. Mas é ruim para quem atira essas flechas.

Outro ponto que deve ser mencionado antes de passarmos à consideração de nossas ilustrações é que toda forma-pensamento apresentada aqui foi retirada da vida. Elas não são formas imaginárias, preparadas como algum sonhador acha que elas devam parecer, mas são representações de formas observadas de verdade, enquanto foram emitidas por homens e mulheres comuns, reproduzidas com todo o cuidado possível e fidelidade por aqueles que as viram ou com a ajuda de artistas para quem eles as descreveram.

Para uma conveniência de comparação, as formas-pensamento semelhantes foram agrupadas.

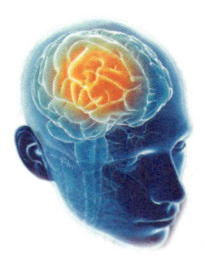

Explicativo das Formas-Pensamento

Afeto

Afeto puro indefinido – a figura 8 é uma nuvem giratória de afeto pura e, exceto por sua falta de definição, representa um sentimento muito bom. A pessoa de quem emana é feliz e está em paz com o mundo, sonhando acordado com algum

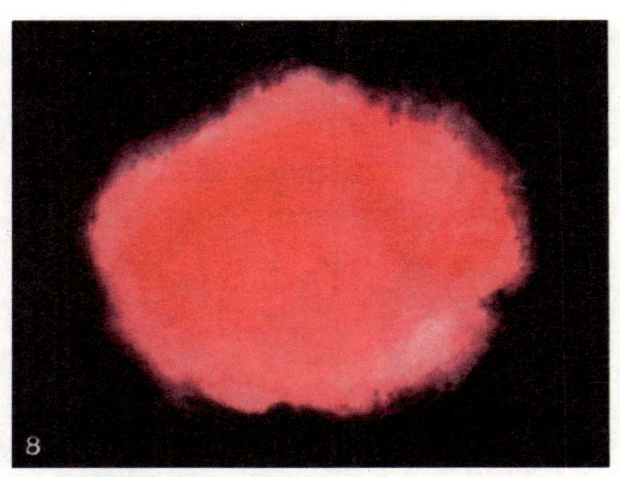

Fig. 8 Afeto puro indefinido.

amigo cuja presença é um prazer. Não há nada apaixonado ou forte no sentimento, mas um bem-estar suave e um prazer desinteressado com a proximidade dos entes queridos. O sentimento que gera uma nuvem dessas é puro, mas não há nele nenhuma forma capaz de produzir resultados definidos. Uma manifestação parecida com esta costuma cercar um gato ronronando suavemente e irradia devagar do animal em uma série de conchas concêntricas cada vez maiores de uma nuvem rosa, desvanecendo-se a uma distância de poucos metros de seu preguiçoso criador satisfeito.

Afeto egoísta indefinido – a figura 9 também nos mostra uma nuvem de afeto, mas desta vez tem traços profundos de um sentimento bem menos desejável. O marrom acinzentado apagado sólido do egoísmo se mostra bem decididamente no meio do bordô do amor, e assim nós vemos que o afeto indicado está intimamente ligado a uma satisfação com favores já recebidos e uma

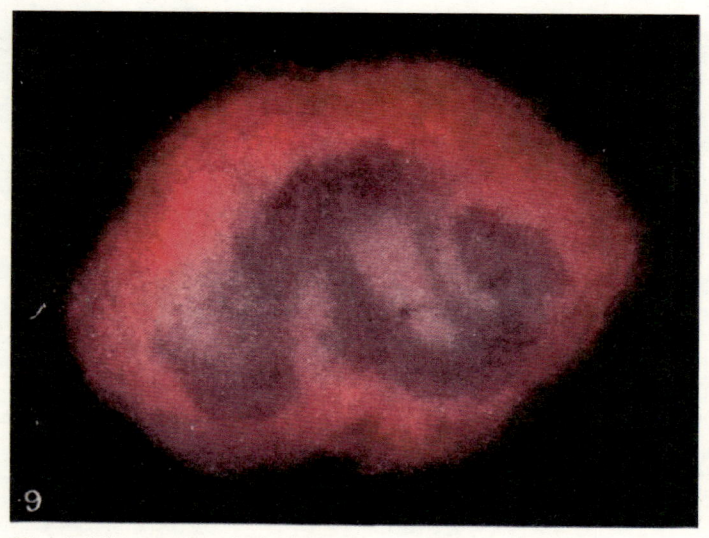

Fig. 9 Afeto egoísta indefinido.

ansiedade intensa por outros a vir em um futuro próximo. Por mais indefinido que fosse o sentimento que produziu a nuvem na figura 8, pelo menos ela estava livre desse toque de egoísmo e, portanto, demonstrou certa natureza nobre em seu autor. A figura 9 representa o que toma o lugar dessa condição de mente em um nível de evolução inferior. Não seria possível que essas duas nuvens emanassem da mesma pessoa na mesma encarnação. Apesar de haver bondade no homem que gera essa segunda nuvem, até agora ela é parcialmente evoluída. Uma grande média do afeto mundial é desse tipo e ela se desenvolve apenas por graus lentos na direção da outra manifestação mais elevada.

Afeto definido – até uma primeira olhada rápida na figura 10 nos mostra que aqui temos de lidar com algo de uma natureza completamente diferente – algo verdadeiro e capaz, que alcançará um resultado. A cor é totalmente igual à da figura 8 em clareza, tonalidade e transparência, mas o que era lá um mero sentimento é traduzido neste caso em uma intenção enfática junto com uma ação resoluta. Aqueles que viram o livro *Man Visible and Invisible* se lembrarão que na Placa XI daquele volume está retratado o efeito de uma onda súbita de afeto altruísta pura como se via no corpo astral de uma mãe, quando ela agarrou seu filhinho e o cobriu de beijos. Várias mudanças resultaram desse repentino acesso de emoção; uma delas foi a formação no corpo astral de grandes espirais ou vórtices carmesins alinhados com uma luz viva. Cada uma delas é uma forma-pensamento de afeto intenso gerada como foi descrito e lançada quase instantaneamente para o objeto do sentimento. A figura 10 a retrata depois de ter acabado de sair do corpo astral de seu autor e a caminho de seu objetivo. Deve-se observar que a forma quase circular se transformou em algo parecido com um projétil ou o núcleo de um cometa, e pode-se compreender facilmente que essa alteração é causada por seu avanço rápido. A clareza da cor nos garante a pureza da emoção que deu origem a essa forma-pensamento, enquanto a precisão de seu contorno é uma evidência inequívoca de poder e do propósito vigoroso. A alma que originou uma forma-pensamento como esta já deve ter um certo nível de desenvolvimento.

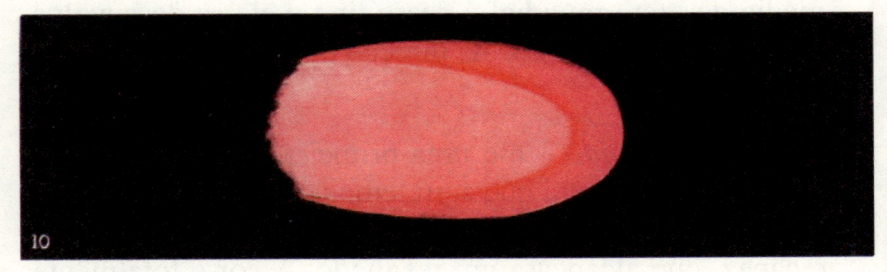

Fig. 10 Afeto definido.

Afeto irradiado – a figura 11 apresenta nosso primeiro exemplo de uma forma-pensamento gerada intencionalmente, pois seu autor se esforça para se projetar em amor para todos os seres. Deve-se lembrar que todas essas formas estão em movimento contínuo. Esta, por exemplo, alarga-se constantemente, embora pareça haver uma fonte inesgotável jorrando pelo centro de uma dimensão que não podemos representar. Um sentimento como esse é tão amplo em sua aplicação que é muito difícil, para quem não tiver um treinamento completo, mantê-lo claro e preciso. A forma-pensamento demonstrada aqui é, portanto, muito honrosa, pois se nota que todos os vários raios da estrela são livres de indistinção de uma forma louvável.

Paz e proteção – poucas formas-pensamento são mais lindas e expressivas do que essa observada na figura 12. Este é um pensamento de amor e paz, proteção e bênção, enviado por quem tem o poder e mereceu o direito de abençoar. Não é provável que na mente desse criador existisse qualquer pensamento com esse lindo formato alado, embora seja possível que alguma reflexão inconsciente de lições distantes da infância sobre anjos da guarda, que sempre flutuou sobre seus protegidos, possa ter tido sua influência ao determinar isso. Seja como for, o desejo sincero sem dúvida se revestiu desse contorno gracioso e expressivo, enquanto o afeto que o inspirou deu a ele sua

Fig. 11. Afeto irradiado.

linda cor rosa; o intelecto que o guiou brilhou como a luz do sol como seu coração e apoio central. Portanto, em realidade, podemos criar verdadeiros anjos da guarda para pairar sobre aqueles que amamos, protegendo-os, e muito desse desejo sincero e altruísta pelo bem produz uma forma como esta, embora desconhecida por seu criador.

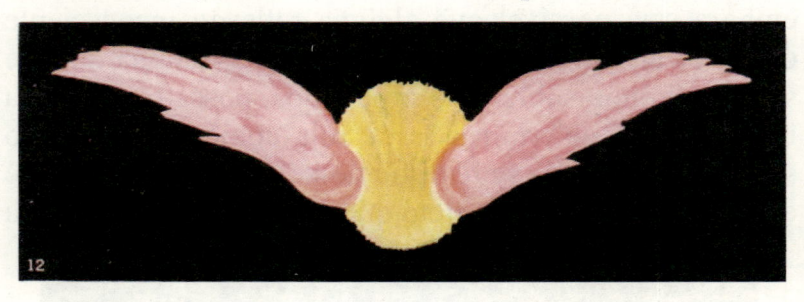

Fig. 12 Paz e proteção.

Afeto animal sôfrego – a figura 13 nos mostra um exemplo de afeto animal sôfrego – se é que um sentimento como este deva ser considerado merecedor do nome ilustre de afeto. Várias cores têm sua parte na produção desta tonalidade apagada desagradável, com um toque de um lampejo pálido de sensualidade, bem como enfraquecida com o matiz pesado indicador do egoísmo. Tem uma forma especialmente característica, pois esses ganchos curvos só são vistos quando existe um forte desejo para posse pessoal. Fica lamentavelmente evidente que o produtor dessa forma-pensamento não tinha noção do amor abnegado que emana em um serviço jubiloso, sem pensar em resultado ou retorno; seu pensamento não foi: "Quanto posso dar?", mas "O que ganho com isso?", e assim ele se expressou nessas curvas reentrantes. Ele nem arriscou se lançar para fora, como fazem outros pensamentos, mas se projeta de modo hesitante do corpo astral, que deve estar à esquerda da imagem. Uma triste paródia do amor de qualidade divina, mas até isso é um estágio na evolução e uma melhora clara dos estágios anteriores, como veremos a seguir.

Fig. 13 Afeto animal sôfrego.

Devoção

Sentimento religioso indefinido – a figura 14 nos mostra outra nuvem giratória amorfa, mas desta vez azul em vez de carmesim. É um sinal de sentimento religioso vagamente agradável – uma sensação de fervor em vez de devoção – tão comum entre aqueles em quem a piedade é mais desenvolvida do que o intelecto. Em muitas igrejas, pode-se ver uma grande nuvem azul-marinho apagada pairando sobre as cabeças da congregação – de contorno indefinido, por causa da natureza indistinta dos pensamentos e sentimentos que a provocaram; muitas vezes salpicada de marrom e cinza, porque a devoção ignorante absorve com uma facilidade deplorável a coloração lúgubre do egoísmo ou do medo, mas pressagiando mesmo assim uma potência imensa do futuro, manifestando aos nossos olhos a primeira tênue vibração de pelo menos uma das asas gêmeas da devoção e da sabedoria, com a qual a alma voa na direção de Deus, de quem veio.

É estranho notar sob quais circunstâncias variadas essa nuvem azul indefinida pode ser vista e, muitas vezes, sua ausência fala mais do que sua presença. Pois, em muitos locais de culto da moda, nós a buscamos em vão e, em vez dela, encontramos uma vasta aglomeração de formas-pensamento daquele segundo tipo, que tomam a forma de objetos materiais. Em vez de indícios de devoção, vemos flutuando sobre os frequentadores as imagens astrais de chapéus e gorros; joias e lindos vestidos; cavalos e carruagens, de garrafas de *whisky* e jantares de domingo; e, às vezes, de fileiras inteiras de cálculos intrincados, mostrando que tanto homens como mulheres pensaram apenas em negócios ou prazer; de desejos ou sobre os anseios da forma inferior de existência mundana durante as supostas horas de oração e louvor.

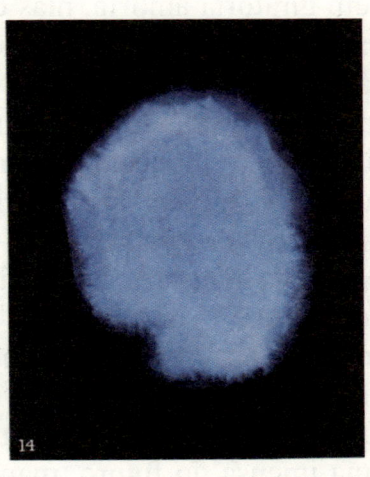

Fig. 14 Sentimento Religioso Indefinido

No entanto, às vezes em um santuário mais humilde, em uma igreja pertencente aos antiquados católicos ou ritualistas, ou até em um templo modesto onde há pouca erudição ou cultura, podem-se observar as nuvens azul-escuras rolando sem cessar para o leste na direção do altar ou para cima, comprovando pelo menos a sinceridade e a reverência daqueles que as geraram. Raramente, bem raramente, entre as nuvens de azul brilhará como uma lança atirada pela mão de um gigante uma forma-pensamento como a mostrada na figura 15, ou uma flor de abnegação, como vemos na figura 16, pode pairar diante de nossos olhos arrebatados, mas, em muitos casos, devemos buscar em outro lugar esses sinais de um desenvolvimento mais elevado.

Onda de devoção ascendente – a forma na figura 15 tem a mesma relação com a figura 14, assim como o projétil de contornos claros da figura 10 com a nuvem indeterminada

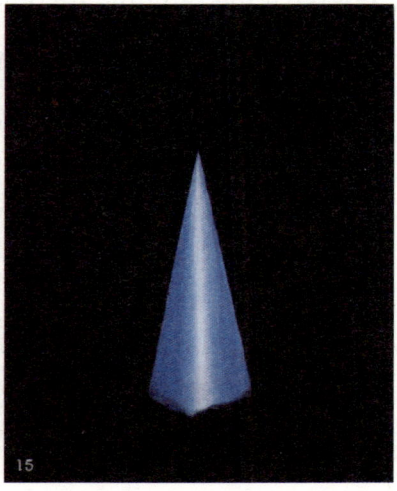

Fig. 15 Onda de devoção ascendente.

da figura 8. Não poderia haver um contraste mais marcado do que entre a flacidez amorfa da nebulosidade na figura 14 e o vigor viril do esplêndido pináculo da devoção muito desenvolvida que tomou forma diante de nós na figura 15. Este não é um sentimento incerto formado pela metade; é o fluxo em manifestação de uma grande emoção arraigada no conhecimento do fato. O homem que sente uma emoção dessas é alguém que sabe em quem acredita; o homem que cria uma forma-pensamento como essa ensinou a si mesmo como pensar. A determinação da onda ascendente aponta tanto para a coragem como para a convicção, enquanto a nitidez de seu contorno mostra a clareza da concepção de seu criador. A pureza inigualável de sua cor confirma seu altruísmo completo.

Resposta à devoção – na figura 17, vemos o resultado de seu pensamento, isto é, a resposta do *Logos* ao apelo feito a Ele, a verdade subjacente à melhor e mais sublime parte da crença persistente em uma resposta à oração. Ela

Fig. 16 Abnegação.

precisa de algumas palavras de explicação. Em cada plano de Seu sistema solar, nosso *Logos* emite Sua luz, Seu poder, Sua vida, e naturalmente é nos planos mais elevados que essa emanação de força divina pode acontecer de modo mais pleno. A descida de cada plano para o seguinte significa uma limitação quase paralisante – uma limitação totalmente incompreensível, exceto por aqueles que vivenciaram as possibilidades mais sublimes da consciência humana. Por isso a vida divina emana com uma plenitude incomparavelmente maior no plano mental do que no astral, e até mesmo sua glória no nível mental é superada inefavelmente pela do plano búdico. Normalmente, cada uma dessas poderosas ondas de influência se espalha por seu plano apropriado, na horizontal, por assim dizer, mas não passa para as trevas de um plano inferior daquele para o qual deveria ir a princípio.

Entretanto, há condições sob as quais a graça e a força peculiares a um plano mais elevado podem em parte ser levadas a um inferior e por ali se espalhar com um efeito maravilhoso. Isso parece possível apenas quando é aberto um canal especial por um momento, e esse trabalho deve ser feito de baixo e com o esforço do homem. Como já explicamos, sempre que o pensamento ou sentimento de um homem for egoísta, a energia produzida por ele se move em uma curva fechada e, portanto, volta inevitavelmente e se expande sobre seu nível, mas, quando o pensamento ou sentimento for absolutamente altruísta, sua energia se projeta em uma curva aberta e por isso *não* volta no senso comum, mas penetra no plano acima, pois apenas nessa condição mais elevada, com sua dimensão adicional, pode encontrar espaço para sua expansão. Mas ao abrir caminho assim, um pensamento ou sentimento como esse deixa aberta uma porta (simbolicamente falando) de dimensão equivalente à de seu próprio diâmetro e supre, portanto, o canal requisitado pelo qual a força divina apropriada ao plano superior pode se derramar sobre o inferior com resultados maravilhosos, não só para o pensador, mas também para os outros. Essa figura é uma tentativa de simbolizar isso e indicar a grande verdade que um dilúvio infinito do tipo mais sublime de força está sempre pronto e à espera de cair quando o canal é oferecido, assim como a água de uma cisterna espera para passar pelo primeiro cano que possa ser aberto.

O resultado da descida da vida divina é um ótimo fortalecimento e edificação do criador do canal, e a propagação por ele de uma influência muito poderosa e benéfica. Esse efeito é denominado muitas vezes de resposta à oração e foi atribuído pelos ignorantes ao que eles chamam de "intervenção especial da Providência", em vez da ação infalível da grande e imutável lei divina.

Abnegação – a figura 16 mostra mais um modo de devoção, produzindo uma forma excepcionalmente linda de um tipo novo para nós, no qual poderia se supor, à primeira vista, que várias formas graciosas pertencentes à natureza animada eram imitadas. A fig. 16, por exemplo, é um tanto sugestiva de um botão de flor parcialmente aberto, enquanto outras formas têm certa semelhança com conchas, folhas ou formatos de árvores. Manifestamente, porém, estas não são nem podem ser cópias de formas vegetais ou animais e parece provável que a explicação sobre a semelhança é muito mais profunda do que isso. Um fato análogo e ainda mais importante é que algumas formas-pensamento bem complexas podem ser imitadas com exatidão pela ação de certas forças mecânicas, como mencionado anteriormente. Embora, com nosso conhecimento atual, seja insensato tentar uma solução do problema muito fascinante apresentado por essas semelhanças extraordinárias, parece provável que temos um vislumbre do limiar de um mistério poderosíssimo, pois, se com certos pensamentos produzimos uma forma duplicada pelos processos da natureza, temos pelo menos uma suposição de que essas forças naturais operam por linhas semelhantes à ação desses pensamentos. Como o universo é por si uma forma-pensamento poderosa criada

Fig. 17 Resposta à devoção.

pelo *Logos*, pode ser que pequenas partes dele também sejam formas-pensamento de entidades menores engajadas no mesmo trabalho, e por isso talvez possamos chegar perto de compreender o que significam os 330 milhões de Devas dos hindus.

Esta forma é do mais belo azul-celeste, emitindo um esplendor de luz branca, algo para acusar a habilidade do artista incansável que trabalhou tanto para fazê-la com o máximo de perfeição possível. É o que um católico chamaria de "ato de devoção" definitivo, ou melhor, um ato de abnegação completa, de entrega e renúncia.

Intelecto

Prazer intelectual indefinido – a figura 18 representa uma nuvem indefinida da mesma ordem daquelas mostradas nas figuras 8 e 14, mas neste caso ela é amarela, em vez de carmesim ou azul. O amarelo em qualquer veículo humano sempre indica capacidade intelectual, mas seus tons variam muito e pode ser mais complexo, com a mistura de outras cores. De modo geral, tem um matiz mais escuro e apagado, se o intelecto for direcionado principalmente para canais inferiores, mais especificamente se os objetos forem egoístas. No corpo astral ou mental da média dos homens de negócios apareceria como um ocre, enquanto o intelecto puro dedicado ao estudo da filosofia ou da matemática apresenta-se como um dourado e vai crescendo gradualmente até um lindo, claro e luminoso amarelo-limão ou canário quando um intelecto poderoso é empregado de forma absolutamente altruísta para o benefício da humanidade. A maioria das formas-pensamento tem contornos claros e uma nuvem indefinida dessa cor é comparativamente rara. Indica o prazer intelectual, o apreço pelo resultado do talento ou o deleite sentido na habilidade talentosa. Um prazer desses com o homem comum deriva da contemplação de uma pintura, costuma depender principalmente das emoções de admiração, afeto ou piedade que ela incita dentro de si ou, às vezes, se retratar uma cena familiar, seu charme consiste em seu poder de despertar a memória de alegrias do passado. Um artista, porém, pode tirar de uma pintura um prazer de caráter totalmente diferente, com base em seu reconhecimento da excelência do trabalho e do talento aplicado em produzir certos resultados. Uma gratificação intelectual pura como esta se mostra em uma nuvem amarela, e o mesmo efeito pode ser produzido pelo deleite com o talento musical ou

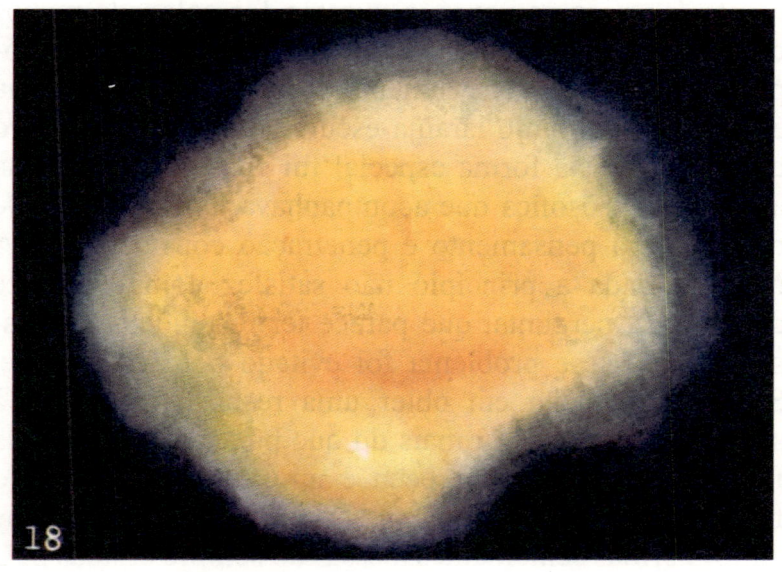

Fig. 18 Prazer intelectual indefinido.

as sutilezas do raciocínio. Uma nuvem dessa natureza indica a total ausência de qualquer emoção pessoal, pois se esta estivesse presente tingiria inevitavelmente o amarelo com sua cor apropriada.

Intuito de saber – a figura 19 é interessante por nos mostrar um pouco do crescimento de uma forma-pensamento. O estágio inicial, indicado pela forma de cima, não é incomum e indica a determinação para resolver algum problema – o intuito de saber e entender. Às vezes, um palestrante teosófico vê muitas dessas formas sinuosas amarelas na plateia projetando-se em sua direção e as recebe de bom grado como um sinal de que seus ouvintes acompanham seus argumentos com atenção e têm o desejo sincero de entender e saber mais. Uma forma desse tipo muitas vezes acompanha uma questão e se, como infelizmente é o caso às vezes, a questão for colocada menos com o desejo genuíno de conhecimento do que pelo propósito de exibir o discernimento do questionador, a forma é bem tingida com o laranja-escuro, como um indicativo de vaidade. Esta forma especial foi encontrada em uma assembleia teosófica que acompanhava uma questão que demonstrava pensamento e penetração consideráveis. A resposta dada a princípio não satisfez completamente quem fez a pergunta, que parece ter recebido a impressão de que esse problema foi evitado pelo palestrante. Sua determinação em obter uma resposta completa à sua questão aumentou mais do que nunca e a cor de sua forma-pensamento escureceu e mudou para o segundo formato, lembrando muito mais um saca-rolhas do que antes. Formas semelhantes a essa são sempre criadas pela curiosidade inútil e frívola comum, entretanto, como não há intelecto envolvido nesse caso, a cor não é mais amarela, mas lembra muito a de carne podre, algo como aquela mostrada na figura 29 como expressão do vício por álcool de um bêbado.

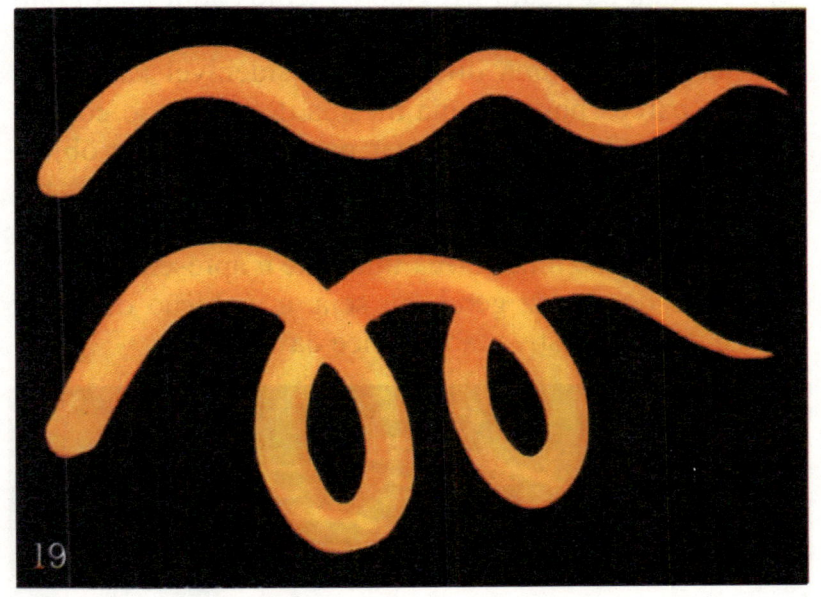

Fig. 19 Intuito de saber.

Ambição elevada – a figura 20 nos apresenta outra manifestação do desejo: a ambição por posição e poder. A qualidade ambiciosa é demonstrada pelo laranja profundo rico, e o desejo pelas extensões curvas que precedem a forma quando ela se move. O pensamento desse tipo é bom e puro, pois, se houvesse algo desprezível ou egoísta no desejo, ele se mostraria inevitavelmente no escurecimento da tonalidade laranja-claro com vermelhos, marrons ou cinza apagados. Se esse homem cobiçava posição ou poder, não era em interesse próprio, mas com a convicção de que ele poderia trabalhar bem e com honestidade para a vantagem de seus companheiros.

Ambição egoísta – a ambição de um tipo inferior está representada na figura 21. Não só temos aqui uma grande mancha do marrom acinzentado apagado do egoísmo, mas há também uma diferença considerável na forma, embora pareça possuir uma mesma definição no contorno. A figura 20 cresce devagar na direção de um objeto definido, pois se observa que a parte central dela é tão definida quanto um projétil, como a figura 10. A figura 21, por outro lado, é uma forma flutuante e apresenta grande indicativo de avidez geral, ou seja, a ambição de pegar para si tudo que estiver ao alcance da vista.

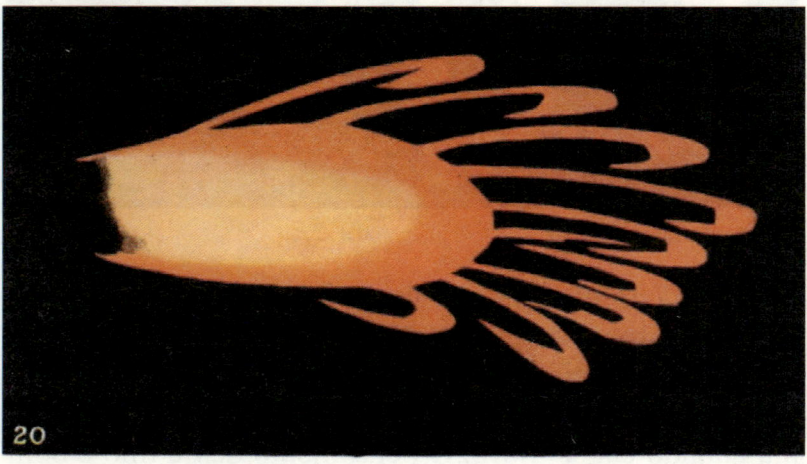

Fig. 20 Ambição elevada.

Fig. 21 Ambição egoísta.

Raiva

Fúria assassina e raiva reprimida – nas figuras 22 e 23 temos dois exemplos extremos do efeito terrível da raiva. O relâmpago lúgubre das nuvens escuras (figura 22) foi tirado da aura de um homem bruto e meio intoxicado no East End, de Londres, quando ele agrediu uma mulher; o relâmpago a atingiu momentos antes de ele levantar sua mão para bater e provocou calafrios de horror, como se pudesse matar. A flecha de ponta afiada como uma agulha (figura 23) foi um pensamento de raiva fixa, um desejo intenso de vingança, da qualidade do assassinato, contido por anos e dirigido à pessoa que infligiu um dano profundo naquele que a emitiu; se este possuísse uma vontade forte e treinada, uma forma-pensamento dessas poderia matar, e aquele que a nutre corre um sério perigo de se tornar um assassino de fato em pensamento em uma encarnação futura. Observa-se que as duas tomam a forma de um raio, mas a de cima tem um formato irregular, enquanto a de baixo representa uma constância de intenção muito mais perigosa. A base do egoísmo absoluto do qual a forma de cima se origina é bem característica e instrutiva. Vale a pena observar também a diferença de cor entre as duas formas. Na de cima, o marrom sujo do egoísmo está tão evidente que mancha até o fluxo de raiva, enquanto no segundo caso, embora o egoísmo sem dúvida estivesse na raiz dela também, o pensamento original ficou esquecido na ira reprimida e concentrada. Quem estudar a Placa XIII em *Man Visible and Invisible* conseguirá imaginar a condição do corpo astral de onde essas formas se projetam e com certeza a mera visão dessas imagens, mesmo sem análise, deve provar ser uma lição prática poderosa sobre o mal de se entregar à paixão da raiva.

Fig. 23 Raiva reprimida.   Fig. 22 Fúria assassina.

Explicativo das Formas-Pensamento 67

Raiva explosiva – na figura 24, vemos uma exibição de raiva de um caráter totalmente diferente. Aqui não há ódio contido, mas apenas uma vigorosa explosão de irritação. Logo fica evidente que, enquanto cada um dos criadores das formas mostradas nas figuras 22 e 23 dirigia sua ira contra um indivíduo, o responsável pela explosão na figura 24 está no momento em guerra com o mundo todo ao seu redor. Pode muito bem expressar o sentimento de algum idoso colérico, que se sente insultado ou tratado com impertinência, pois a flecha laranja entremeada por vermelho sugere que seu orgulho foi gravemente ferido. É instrutivo comparar as radiações dessa placa com a figura 11. Aqui vemos indicada uma explosão genuína, instantânea e

Fig. 24 Raiva explosiva.

de efeitos irregulares, e o centro vazio nos mostra que o sentimento que a provocou já é passado e nenhuma outra força é gerada. Na figura 11, por outro lado, o centro é a parte mais forte da forma-pensamento, mostrando que este não é o resultado de um lampejo momentâneo de sentimento, mas que há uma corrente contínua de energia, enquanto os raios mostram com sua qualidade, extensão e a uniformidade de sua distribuição o esforço constante que os produziu.

Ciúme atento e raivoso – na figura 25 vemos uma forma interessante, contudo desagradável. Sua peculiar cor marrom esverdeada logo indica a um clarividente experiente que é uma expressão de ciúme, e seu formato curioso mostra a avidez com que o homem observa seu objeto. A incrível semelhança com uma cobra com a cabeça levantada simboliza de modo conveniente a atitude extraordinariamente insensata do ciumento, bem alerta para descobrir sinais daquilo que ele menos deseja ver. No momento em que ele vê, ou imagina ver, a forma mudará para a mais comum mostrada na figura 26, na qual o ciúme já está misturado à raiva. Observa-se que o ciúme aqui é apenas uma nuvem indefinida, ainda que entremeada com raios bem definidos de raiva prontos para atingir aqueles por quem o ciumento imagina ter sido ferido, enquanto na figura 25, onde ainda não existe raiva, o ciúme tem um contorno perfeitamente definido e muito expressivo.

Explicativo das Formas-Pensamento 69

Fig. 25 Ciúme atento.

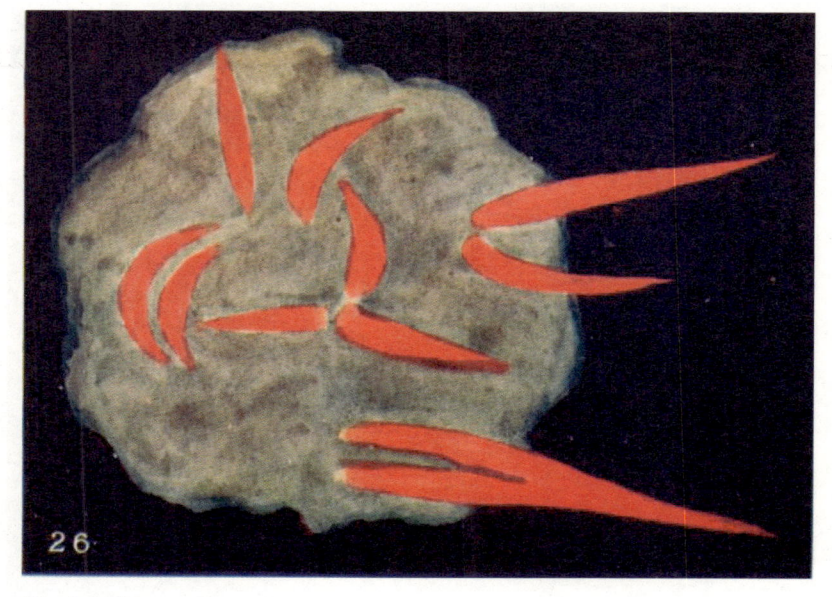

Fig. 26 Ciúme raivoso.

Solidariedade

Solidariedade indefinida – na figura 18A temos outra das nuvens indefinidas, mas desta vez sua cor verde nos mostra que é uma manifestação de solidariedade. Podemos inferir do caráter indistinto de seu contorno que não é uma solidariedade definida e ativa que passaria na hora do pensamento para a ação, mas marca um sentimento geral de compaixão como o que um homem sentiria quando lesse um relato de um acidente triste ou ficasse na porta de um ambulatório olhando os pacientes.

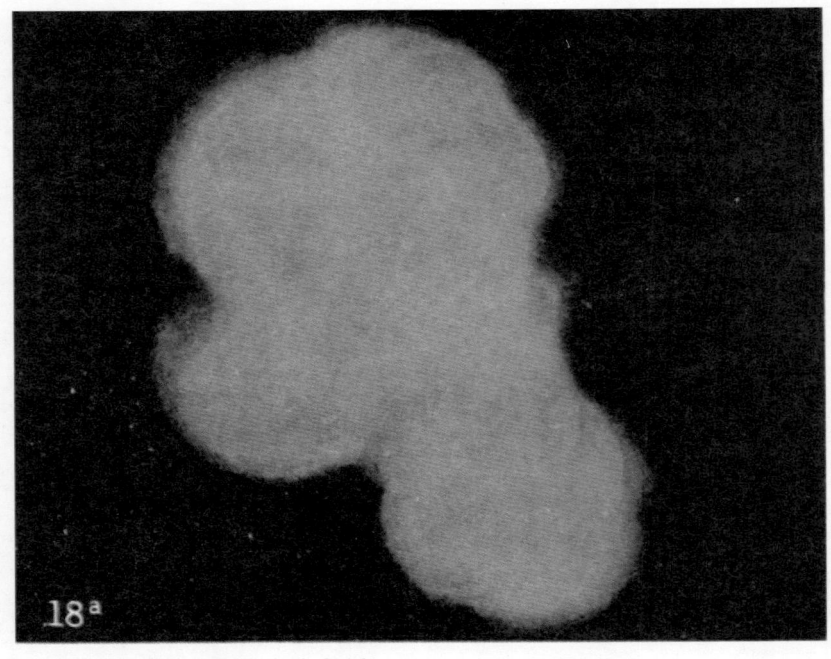

Fig. 18A Solidariedade indefinida.

Medo

Susto repentino – um dos objetos mais deploráveis na natureza é um homem ou um animal em condição de medo absoluto, e uma análise da Placa XIV em *Man Visible and Invisible* mostra que, sob tais circunstâncias, o corpo astral não apresenta melhor aparência do que o físico. Quando o corpo astral de um homem estiver assim em um estado de palpitação frenética, sua tendência natural é lançar fragmentos explosivos amorfos, como massas de rocha atiradas em uma detonação, como na figura 30; mas quando uma pessoa está bem assustada, em vez de apavorada, produz-se um efeito como o da figura 27. Em uma das fotos tiradas pelo dr. Baraduc, observou-se que o resultado de um aborrecimento repentino foi uma erupção

Fig. 27 Susto repentino.

de círculos partidos, e esse fluxo de formas parecidas com luas crescentes parecem ser de certa maneira da mesma natureza, embora neste caso elas acompanhem linhas de matéria que até aumentam a aparência explosiva. É importante notar que todas as luas crescentes à direita, que obviamente devem ter sido expelidas primeiro, mostram apenas o cinza lívido do medo; mas, minutos depois, o homem já está meio recuperado do choque e começa a sentir raiva por ter se permitido ficar assustado. Isso é mostrado pelo fato de as luas crescentes posteriores estarem alinhadas com o vermelho escarlate, evidenciando a mistura de raiva e medo, enquanto a última é puro vermelho, o que nos diz que o susto já foi completamente superado, restando apenas o aborrecimento.

Ganância

Ganância egoísta – a figura 28 é um exemplo de ganância egoísta, bem mais inferior do que a figura 21. Observa-se que aqui não há nada tão grandioso quanto a ambição e também fica evidente, pelo tom de verde-musgo, que a pessoa a partir de quem esse pensamento desagradável se projeta está pronta para empregar a falsidade para obter o que deseja. Enquanto a ambição da figura 21 tinha uma natureza geral, a cobiça expressa na figura 28 é por um objeto particular para o qual se estende, pois se compreende que esta forma-pensamento, assim como a da figura 13, permanece ligada ao corpo astral, que deve estar à esquerda da imagem. As formas parecidas com garras dessa natureza são vistas muitas vezes convergindo sobre uma mulher que usa um vestido ou chapéu novos ou alguma joia especialmente atraente. Sua cor pode variar de acordo com a quantidade precisa de inveja ou ciúme misturado com o desejo de posse, mas em todos os casos encontraremos uma aproximação ao formato indicado em nossa ilustração. Muitas vezes, as pessoas reunidas na frente de uma vitrine podem ser vistas projetando suas vontades astrais pelo vidro.

Fig. 28 Ganância egoísta.

Vício em bebida – na figura 29, temos outra variação da mesma paixão, talvez em um nível ainda mais vil e animalesco. Este exemplar foi tirado do corpo astral de um homem que acabava de entrar em uma adega; a expectativa e o desejo violento pela bebida que ele estava prestes a absorver apareciam em uma projeção na sua frente com essa aparência bem desagradável. Mais uma vez, as protuberâncias curvas mostram o desejo, enquanto a cor e a textura mosqueada áspera mostram a natureza baixa e sensual do apetite. Os desejos sexuais aparecem muitas vezes de uma maneira bem parecida. Os homens que originaram essas formas ainda estão pouco distantes do animal; à medida que eles crescem na escala da evolução, o lugar dessa forma será gradualmente considerado como algo semelhante ao mostrado na figura 13 e, bem devagar, com o avanço do desenvolvimento, passará por sua vez pelos estágios indicados nas figuras 8 e 9 até expelir, enfim, todo o egoísmo e o desejo de receber for transmutado no desejo de dar, dessa forma, chegaremos aos resultados esplêndidos exibidos nas figuras 10 e 11.

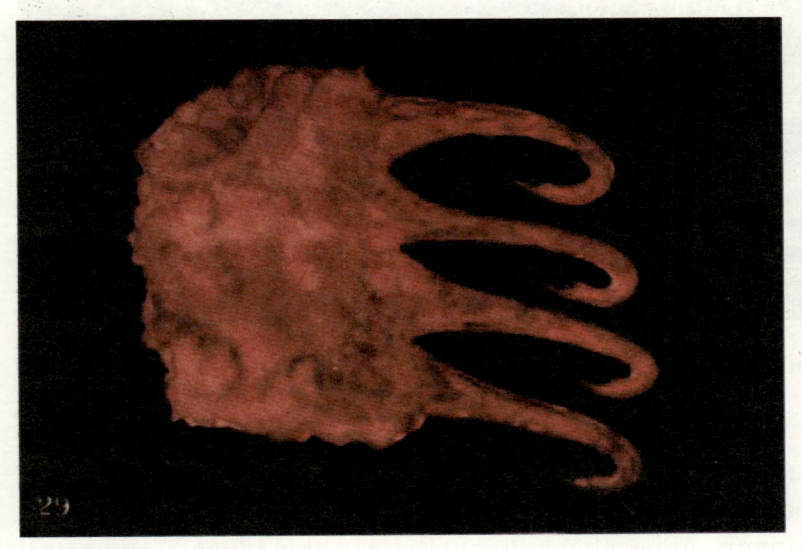

Fig. 29 Vício em bebida.

Várias emoções

Em um naufrágio – gravíssimo é o pânico que ocasionou o grupo raro de formas de pensamentos retratadas na figura 30. Como elas foram vistas ao mesmo tempo, arranjadas exatamente como representadas, ainda que no meio

Explicativo das Formas-Pensamento 75

de uma confusão indescritível, suas posições relativas foram preservadas, embora para explicá-las é conveniente considerá-las na ordem contrária. Elas foram trazidas à tona por um acidente terrível e são instrutivas ao mostrar como as pessoas são afetadas de diferentes formas por um perigo grave e repentino. Uma forma mostra apenas uma erupção cinza pálida de medo, saindo de uma base de egoísmo absoluto. Infelizmente havia muitas como essa. A aparência despedaçada da forma-pensamento mostra a violência e a integralidade da explosão, que, por sua vez, indica que toda a alma daquela pessoa estava possuída por um terror cego e frenético e que o senso esmagador do perigo pessoal excluía naquele momento qualquer sentimento mais elevado.

Fig. 30 Em um naufrágio.

A segunda forma representa pelo menos uma tentativa de autocontrole, e mostra a atitude adotada por uma pessoa com um pouco de sentimento religioso. Essa pensadora busca refúgio na oração e dessa forma tenta superar seu medo. Isso é indicado pelo ponto azul esverdeado que se eleva hesitante. Porém, a cor mostra que o esforço tem sucesso em parte e vemos também, pela parte inferior da forma-pensamento, com seu contorno irregular e fragmentos caindo, que há na verdade quase tanto pavor quanto no outro caso. Mas pelo menos essa mulher teve a presença de espírito de lembrar que deve rezar e tenta imaginar que não tem medo enquanto faz isso, enquanto no outro caso não há absolutamente nenhum pensamento além do terror egoísta. Uma pessoa preserva ainda alguma aparência de humanidade e alguma possibilidade de recuperar o autocontrole, a outra abandonou no momento todos os vestígios de decência e é uma escrava abjeta da emoção avassaladora.

Um contraste bem impressionante à fraqueza humilhante exibida nessas duas formas é a força esplêndida e decisão da terceira. Aqui não temos nenhuma massa amorfa com linhas trêmulas e fragmentos explosivos, mas um pensamento poderoso, claro e definido, obviamente cheio de força e resolução. Pois este é o pensamento do capitão – o homem responsável pelas vidas e segurança dos passageiros, e ele encara a situação de maneira bem satisfatória. Nem ao menos lhe ocorre sentir o menor traço de medo; ele não tem tempo para isso. Embora o vermelho escarlate da ponta afiada de sua forma-pensamento, parecida com uma arma, mostre a raiva pelo acidente ter acontecido, a curva laranja acentuada logo depois indica uma perfeita autoconfiança e a certeza de sua capacidade em lidar com a dificuldade. O amarelo brilhante sugere que seu intelecto já trabalha no problema, enquanto o verde que o acompanha denota a solidariedade que sente por aqueles que pretende salvar. Um grupo bem impressionante e instrutivo de formas de pensamento.

Na estreia – a figura 31 também é um exemplar interessante, talvez único, pois representa a forma-pensamento de um ator enquanto espera para subir ao palco em uma "estreia". A faixa larga laranja no centro é bem definida e é expressão de uma autoconfiança bem fundamentada – a realização de muitos sucessos anteriores e a expectativa aceitável de que, nessa ocasião, outro entrará

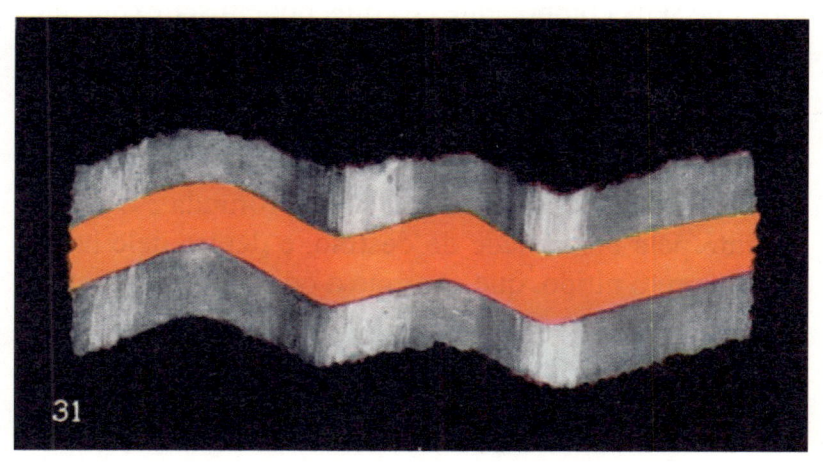

Fig. 31 Na estreia.

na lista. Mas, apesar disso, há uma boa parte de incerteza inevitável quanto a como o público volúvel responderá a essa nova peça e, em geral, a dúvida e o medo prevalecem sobre a certeza e o orgulho, pois há mais cinza pálido do que laranja e toda forma-pensamento vibra como uma bandeira tremulando com o vento forte. Observa-se que enquanto o contorno do laranja é bem claro e definido o do cinza é muito mais indefinido.

Os jogadores – as formas mostradas na figura 32 foram observadas, ao mesmo tempo, no grande cassino de Monte Carlo. As duas representam uma das piores paixões humanas e há pouco para distingui-las, embora elas representem os sentimentos do jogador com sucesso e sem sucesso, respectivamente. A forma de baixo se parece bastante com um olho brilhante sombrio, embora isso possa ser uma mera coincidência, pois, ao analisarmos, concluímos que seus componentes e cores podem ser explicados sem dificuldade. O fundo de todo o pensamento é uma nuvem irregular de depressão profunda, muito marcada pelo marrom acinzentado apagado do egoísmo e o azul pálido do medo. No centro, vemos um anel vermelho escarlate bem marcado, que mostra uma raiva profunda e o ressentimento pela hostilidade do destino, e dentro dele há um círculo preto nítido, que exprime o ódio do homem arruinado por aqueles que pegaram seu dinheiro. O homem que emitiu uma forma-pensamento dessas, com certeza, é um perigo iminente, pois ele evidentemente caiu nas profundezas do desespero. Com o vício em jogo, ele não pode ter princípios para apoiá-lo e, por isso, não é nada improvável que ele recorra ao refúgio imaginário do suicídio, apenas para descobrir, ao despertar na vida astral, que ele piorou sua condição em vez de melhorá-la, como um suicida sempre faz, pois sua ação covarde o afasta da paz e da felicidade que costumam seguir a morte.

Explicativo das Formas-Pensamento 79

Fig. 32 Os jogadores.

A forma de cima representa um estado de espírito que talvez tenha efeitos ainda mais danosos, pois é a exultação do jogador de sucesso sobre seu ganho adquirido desonestamente. Aqui o contorno está perfeitamente definido e a resolução do homem em persistir em sua má conduta é inequívoca. A faixa larga laranja no centro mostra com muita clareza que, embora quando o homem perde ele amaldiçoe a inconstância do destino, quando ganha ele atribui seu sucesso totalmente a seu próprio gênio transcendente. Provavelmente, ele inventou algum sistema ao qual atribui sua fé e do qual ele é imoderadamente orgulhoso. Mas se nota que, em cada lado do laranja, aparece uma linha dura de egoísmo, e vemos como isso, por sua vez, se desfaz em avareza e vira um mero sentimento de posse animalesco, representado também com tamanha clareza pelas extremidades parecidas com garras da forma-pensamento.

Em um acidente de trânsito – a figura 33 é instrutiva por mostrar as várias formas que os mesmos sentimentos podem tomar em indivíduos diferentes. Essas duas evidências de emoção foram vistas ao mesmo tempo entre os espectadores de um acidente de trânsito – um caso de atropelamento com ferimentos leves. Como as pessoas que geraram essas duas formas-pensamento foram inspiradas por um interesse afetuoso pela vítima e profunda compaixão por seu sofrimento, suas formas-pensamento exibiram exatamente as mesmas cores, ainda que com

Fig. 33 Em um acidente de trânsito.

contornos absolutamente diferentes. A pessoa sobre quem flutua a nuvem em formato de uma esfera indefinida pensa: "Coitadinho, que triste isso!", enquanto aquele que gera aquele disco bem definido já corre para ver de que forma pode ajudar. A primeira pessoa é sonhadora, embora de uma sensibilidade intensa; o outro é um homem de ação.

Em um funeral – na figura 34, temos um exemplo bem surpreendente da vantagem do conhecimento, da mudança fundamental produzida no temperamento do homem por uma compreensão clara das grandes leis da natureza sob as quais vivemos. Completamente diferentes em todos os aspectos de cor, forma e significado, essas duas formas-pensamento foram vistas ao mesmo tempo e representam dois pontos de vista com referência à mesma ocorrência. Elas foram observadas em um funeral e exibiram os sentimentos evocados nas mentes de dois dos "enlutados" pela contemplação da morte. Os pensadores tinham a mesma relação com o falecido, mas enquanto um deles ainda estava imerso na ignorância densa com relação à vida superfísica, algo tão comum atualmente, o outro tinha a vantagem inestimável da luz da Teosofia. No pensamento do primeiro, vemos representados apenas depressão, medo e egoísmo. O fato de a morte ter chegado tão perto evidentemente evocou na mente do enlutado o pensamento de que ela um dia chegará para ele também, e a antecipação disso para ele é terrível, mas, como ele não sabe o que teme, as nuvens nas quais esse sentimento manifesta-se são apropriadamente indefinidas. Suas únicas sensações definidas são o desespero e o senso de sua perda pessoal, que se revelam em faixas regulares de marrom acinzentado e chumbo, enquanto a curiosíssima protusão para baixo, que na verdade desce até o túmulo e envolve o caixão, é uma expressão do forte desejo egoísta de arrastar o morto de volta à vida física.

Fig. 34 Em um funeral.

É um alívio passar dessa imagem melancólica para o efeito diferente maravilhoso produzido pelas mesmíssimas circunstâncias sobre a mente do homem que compreende os fatos do caso. Observa-se que os dois não têm uma única emoção em comum, pois, no primeiro caso, tudo era desalento e horror, enquanto neste não encontramos nada além dos sentimentos mais elevados e belos. Na base da forma-pensamento, encontramos uma expressão plena de um pesar profundo, com o verde mais claro indicando solidariedade com o sofrimento dos enlutados e condolências a eles, enquanto a faixa de verde mais escuro mostra a atitude do pensador para com o falecido. O rosa mais forte revela o afeto pelo morto e pelos vivos, enquanto a parte superior do cone e as estrelas saindo dele comprovam o sentimento despertado no pensador ao considerar o tópico da morte, com o azul revelando seu aspecto devoto, enquanto o violeta mostra o pensamento de um ideal nobre, além do poder para responder a ele, e as estrelas douradas simbolizam as aspirações espirituais geradas por sua contemplação. A faixa amarelo-clara observada no centro dessa forma-pensamento é muito significativa, pois indica que toda a atitude do homem baseia-se e é induzida por sua compreensão intelectual da situação, e isso também é evidente pela regularidade do arranjo de cores e a precisão das linhas de demarcação entre elas.

A comparação entre as duas ilustrações expostas nessa placa é com certeza um testemunho impressionante do valor do conhecimento obtido com o ensinamento teosófico. Sem dúvida, esse conhecimento da verdade afasta todo o medo da morte e facilita a vida, porque entendemos seu objeto e seu fim e percebemos que a morte é um incidente perfeitamente natural de percurso, um passo necessário em nossa evolução. Todos nas nações cristãs deveriam saber disso, mas não sabem, e por isso, neste ponto, assim como em muitos outros, a Teosofia tem um evangelho para o ocidente. Ele vem anunciar que não há um abismo sombrio impenetrável além do túmulo, mas um mundo de vida e luz que podemos reconhecer com clareza, plenitude e precisão, como este mundo físico em que vivemos. Nós mesmos criamos a tristeza e o horror, como crianças que se assustam com histórias de fantasmas; precisamos apenas estudar os fatos do caso e todas essas nuvens artificiais sumirão por completo. Temos uma herança maldita por trás de nós a esse respeito, pois herdamos todos os tipos de horrores fúnebres de nossos antepassados, nos acostumamos a eles e agora não vemos seu absurdo e monstruosidade. Sobre isso os antigos eram mais sábios do que nós, pois não associavam toda essa melancolia fantasmagórica com a morte do corpo, em parte talvez por terem um método muito mais racional de descarte do corpo, que não era só infinitamente melhor para o morto e mais saudável para os vivos, como também não tinha as sugestões repulsivas relacionadas à decomposição lenta. Eles sabiam muito mais sobre morte antigamente, e por isso lamentavam menos.

No encontro com um amigo – a figura 35 nos dá um exemplo de uma forma-pensamento boa, claramente definida e expressiva, com cada cor bem separada das outras. Representa o sentimento de um homem ao encontrar um amigo que há muito tempo não via. A superfície convexa da meia-lua está mais próxima do pensador e seus dois braços se estendem na direção do amigo como em um abraço. A cor rosa naturalmente indica o afeto sentido, o verde-claro mostra a intensidade da simpatia existente e o amarelo-claro é um sinal do prazer intelectual com que o criador do pensamento imagina a lembrança das memórias deliciosas de dias passados.

Fig. 35 No encontro com um amigo.

A contemplação de um quadro – na figura 36, temos uma forma-pensamento um tanto complexa, representando a contemplação encantada de um lindo quadro sobre um assunto religioso. O forte amarelo puro marca o reconhecimento entusiasmado do observador sobre a habilidade técnica do artista, enquanto todas as outras cores são expressões das várias emoções evocadas nele pela observação de uma obra de arte tão gloriosa. O verde mostra sua simpatia pela figura central no quadro, a devoção profunda aparece não só na faixa larga azul, mas também no contorno de toda a figura, enquanto o violeta nos diz que a imagem elevou o pensamento do homem à contemplação de um ideal elevado e o tornou, pelo menos naquele momento, capaz de responder a isso. Temos aqui o primeiro exemplar de uma classe interessante de formas, das quais veremos exemplos abundantes depois: aquelas nas quais a luz de uma cor brilha por uma rede de linhas de alguma tonalidade bem diferente. Nota-se, neste caso, que da massa violeta saem muitas linhas onduladas fluindo como riachos sobre uma planície dourada, e isso deixa claro que a aspiração mais elevada não é nada indefinida, mas sustentada completamente por um entendimento intelectual da situação e uma compreensão clara do método pelo qual ela pode ser posta em ação.

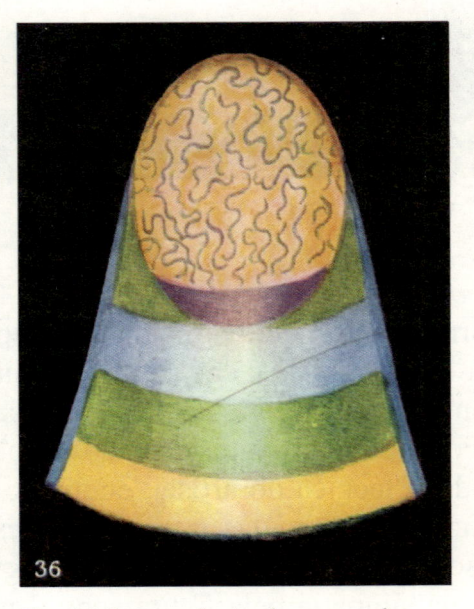

Fig. 36 Contemplação de um quadro.

Formas vistas na meditação

Solidariedade e amor por todos – até o momento, lidamos principalmente com formas que expressam emoção ou um pensamento provocado na mente por circunstâncias

Fig. 37 Solidariedade e amor por todos.

externas. Devemos considerar agora algumas daquelas provocadas por pensamentos surgidos de dentro, ou seja, formas geradas durante a meditação, sendo cada uma o efeito produzido por um esforço consciente do pensador para formar determinada concepção ou se colocar em certa atitude. Naturalmente esses pensamentos são definidos, pois o homem que se treina dessa forma aprende como pensar com clareza e precisão, e o desenvolvimento de seu poder nesse sentido aparece na beleza e na regularidade dos formatos produzidos. Neste caso, temos o resultado de um empenho por parte do pensador em se colocar em uma atitude de amor e solidariedade para com toda a humanidade e, por isso, temos uma série de linhas graciosas do verde luminoso da solidariedade com o forte brilho rosado saindo do meio delas (figura 37). As linhas ainda são bem largas e separadas para ser desenhadas com facilidade, mas, em alguns dos exemplos mais elevados de formas-pensamento desse tipo, as linhas são tão finas e coladas que a mão humana não pode representá-las como realmente são. O contorno dessa forma-pensamento é o de uma folha, porém como seu formato e a curva de suas linhas sugerem mais um certo tipo de concha, este é outro exemplo da aproximação a formas vistas na natureza física, que notamos ao comentar a figura 16.

Uma vontade de abraçar todos – na figura 38, temos um exemplo bem mais desenvolvido do mesmo tipo. Essa forma foi gerada por alguém que tentava, enquanto meditava, preencher sua mente com uma vontade de abraçar toda a humanidade para arrastá-la para cima, na direção de um ideal elevado que brilhava com clareza diante de seus olhos. Por isso, a forma produzida por essa pessoa parece sair dela, curvar-se sobre ela mesma e voltar à sua base; desse modo, as linhas maravilhosamente finas são desenhadas em um lindo violeta luminoso e que, de dentro da forma, emana uma luz dourada gloriosa que infelizmente é quase impossível reproduzir. A verdade é que todas essas linhas aparentemente intrincadas são, na realidade, apenas uma linha circulando a forma várias vezes com uma paciência incansável e precisão maravilhosa. Quase não é possível qualquer mão humana fazer um desenho como esse nessa escala e, em qualquer caso, o efeito de suas cores não poderia ser mostrado, pois observamos por experimento que, se tentarmos desenhar linhas violetas finas bem juntas sobre um fundo amarelo, aparecerá na hora um efeito cinza, e toda a semelhança com o original é destruída. Mas o que não pode ser feito pela mão às vezes pode ser conseguido pela precisão superior e delicadeza de uma máquina, e assim foi feito o desenho reproduzido em nossa ilustração, em uma tentativa de representar tanto o efeito da cor como a delicadeza maravilhosa das linhas e curvas.

Fig. 38 Uma vontade de abraçar todos.

Nas seis direções – a forma representada na figura 39 é resultado de outra tentativa de transmitir amor e solidariedade em todas as direções, em um esforço quase igual ao que originou a figura 37, embora o efeito pareça bem diferente. As razões para essa variedade e para o formato curioso adotado nesse caso constituem uma ilustração muito interessante do modo como a forma-pensamento cresce.

Observa-se que, neste caso, o pensador expõe um sentimento devoto considerável e também teve um esforço intelectual para captar as condições necessárias para a realização de seus desejos – as cores azul e amarela servem de evidência disso. Originalmente, essa forma-pensamento era circular e a ideia dominante evidentemente era de que o verde da solidariedade deveria estar no lado de fora, de frente para todas as direções de certo modo, e que o amor deveria estar no centro e no coração do pensamento, além de direcionar suas emanações de energia. Mas o criador dessa forma leu livros hindus e seus modos de pensamento foram muito influenciados por eles. Os estudiosos da literatura oriental perceberão que os hindus falam não de quatro direções (norte, sul, leste, oeste), como nós, mas sempre de seis, pois eles, com muita sensibilidade, incluem o zênite e o nadir. Nosso amigo estava imbuído de sua leitura com a ideia de que deveria emanar amor e solidariedade "nas seis direções", mas como ele não sabia exatamente quais eram essas seis direções, direcionou sua corrente de afeto para seis pontos equidistantes em seu círculo. As correntes emitidas alteraram o formato das linhas externas que cresceram e, em vez de termos um círculo como um perfil de sua forma-pensamento, temos esse curioso hexágono com os lados curvados para dentro. Vemos assim como cada forma-pensamento registra fielmente o processo exato de seu desenvolvimento, indicando indelevelmente até os erros de sua construção.

Conceito intelectual de ordem cósmica – na figura 40, temos o efeito de uma tentativa para alcançar uma concepção intelectual de ordem cósmica. O pensador

Fig. 39 Nas seis direções.

era obviamente um teósofo e nota-se que, quando ele se esforça para pensar na ação do espírito sobre a matéria, por instinto segue a mesma linha de simbolismo retratada no famoso selo da Sociedade. Vemos aqui um triângulo apontado para cima, significando o aspecto triplo do Espírito, entrelaçado com o triângulo apontado para baixo, que indica a matéria com suas três qualidades inerentes. Costumamos representar o triângulo para cima com branco ou dourado e aquele apontado para baixo com alguma cor mais escura, como azul ou preto, mas é notável que neste caso o pensador estivesse tão completamente ocupado com o esforço intelectual que apenas o amarelo é exibido na forma. Não há espaço nem para emoções de devoção, maravilha ou admiração; a ideia que ele deseja realizar preenche toda sua mente, excluindo qualquer outra. Além disso, a definição do contorno destacando-se contra seu fundo de raios mostra que ele conseguiu grande sucesso.

Logos manifestado no homem – chegamos agora a uma série de pensamentos que está entre as mais elevadas que a mente humana pode formar, quando medida sobre a fonte divina de seu ser. Quando o homem em contemplação reverente tenta elevar seu pensamento para o *Logos* de nosso sistema solar, ele naturalmente nem tenta imaginar para si esse Ser venerável; nem pensa Nele como possuidor de uma forma que possamos compreender. Entretanto, esses pensamentos constroem formas para si na matéria do plano mental e nos interessa examinar essas formas.

Fig. 40 Conceito intelectual de ordem cósmica.

Em nossa ilustração na figura 41 temos um pensamento do *Logos* manifestado no homem, com o desejo devoto de que Ele se manifeste pelo pensador. É esse sentimento devoto que dá a coloração azul-clara à estrela de cinco pontas; seu formato é significativo, pois foi empregado por muitos séculos como um símbolo do Deus manifestado no homem. O pensador pode ser talvez um maçom e seu conhecimento do simbolismo empregado por esse corpo pode explicar o formato da estrela. Nota-se que a estrela é cercada por raios amarelos brilhando no meio de uma nuvem de glória, indicando não só a compreensão reverente da glória insuperável da Divindade, como também um esforço intelectual distinto além da expansão da devoção.

Fig. 41 O *Logos* manifestado no homem.

Todos impregnados pelo Logos – nossas próximas três figuras são dedicadas ao esforço para representar um pensamento de um tipo bem elevado: uma tentativa de pensar no *Logos* impregnando toda natureza. Aqui, mais uma vez, assim como na figura 38, é impossível apresentar uma reprodução completa e devemos rogar para nossos leitores fazerem um esforço de imaginação que deve complementar, até certo ponto, as deficiências das artes do desenho e da impressão. A bola dourada retratada na figura 42 deve ser imaginada dentro de outra de linhas delicadas (e de cor azul), desenhada na figura 44. Qualquer esforço para colocar as cores em uma justaposição tão profunda no plano físico resulta simplesmente na produção de um borrão verde, de tal modo que se perde todo o caráter da forma-pensamento. Só com a máquina já mencionada é possível representar a graça e a delicadeza das linhas. Assim como antes, uma única linha produz todo o traçado maravilhoso da figura 44, e o efeito das quatro linhas radiantes que formam um tipo de cruz de luz deve-se apenas ao fato de as curvas não serem exatamente concêntricas, embora à primeira vista pareçam ser.

Outra concepção – a figura 45 exibe a forma produzida por outra pessoa quando tenta manter exatamente o mesmo pensamento. Temos aqui também uma complexidade incrível de linhas azuis delicadas quase inconcebíveis e devemos contar, do mesmo modo, com nossa imaginação para inserir o globo dourado da figura 42 para sua glória brilhar por cada ponto. Aqui também, como na figura 44, temos aquele padrão lindo e curioso, lembrando um pouco o desenho damasquinado das antigas espadas orientais

Explicativo das Formas-Pensamento 95

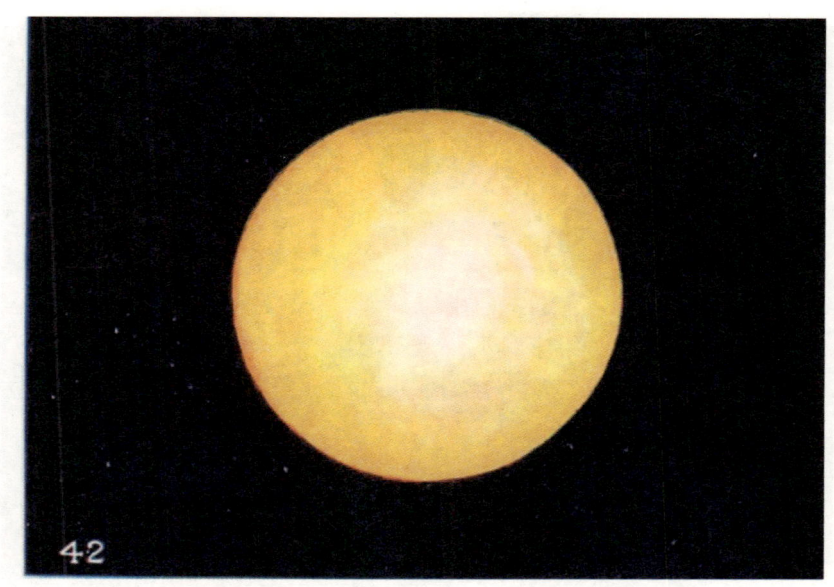

Fig. 42 Todos impregnados pelo *Logos*.

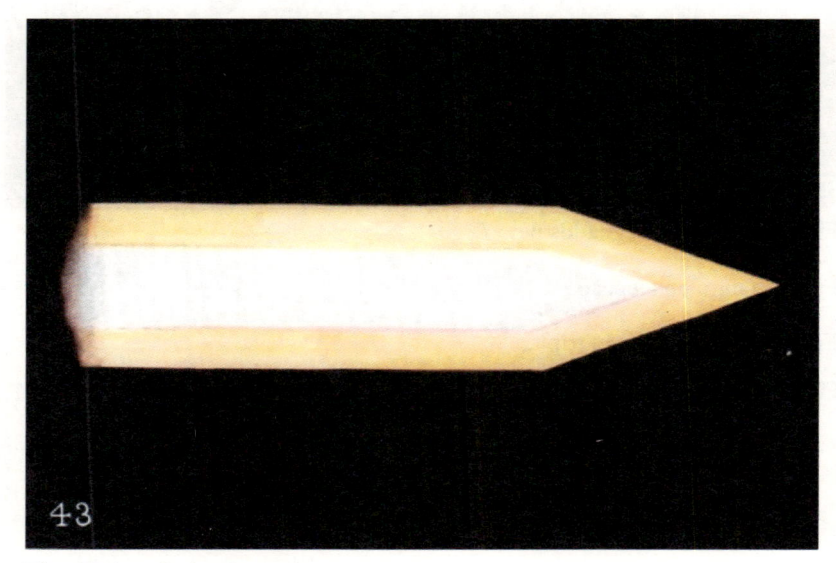

Fig. 43 Anseio intelectual.

Fig. 44 Todos impregnados pelo *Logos*.

Fig. 45 Outra concepção.

Fig. 46 A manifestação tripla.

Fig. 47 A manifestação sétupla.

ou aquele visto sobre seda ondeada ou *moire antique*. Quando o pêndulo desenha essa forma, o padrão não é produzido intencionalmente, mas apenas aparece como uma consequência do cruzamento de inúmeras linhas microscopicamente finas. É evidente que o pensador que criou a forma na figura 44 deve ter retido em sua mente com mais predominância a unidade do *Logos*, enquanto aquele que gerou a forma na figura 45 tem com certeza na mente os centros subordinados pelos quais emana a vida divina e, consequentemente, muitos desses centros se representaram na forma-pensamento.

A manifestação tripla – Quando a forma empregada na figura 46 foi feita, seu criador tentava pensar na manifestação tripla do *Logos*. Pelo espaço vazio no centro da forma brilhava uma luz amarela ofuscante, que claramente tipificava o Primeiro Aspecto, enquanto o Segundo era simbolizado pelo largo anel de linhas bem entrelaçadas quase desconcertantes e o Terceiro é sugerido pelo estreito anel externo, com linhas entrelaçadas mais frouxas. Toda a figura é invadida pela luz dourada irradiada por entre as linhas cor de violeta.

A manifestação sétupla – em todas as religiões sobrevive alguma tradição da grande verdade de que o *Logos* se manifesta por sete canais, considerados muitas vezes *Logoi* menores ou os Espíritos planetários maiores. No esquema cristão, eles aparecem como os sete arcanjos maiores, às vezes chamados de sete espíritos diante do trono de Deus. A figura 47 mostra o resultado do esforço para meditar sobre esse método de manifestação divina. Temos o brilho dourado no centro e também (ainda que com menos esplendor) impregnando a forma. A linha é azul e traça uma sucessão de sete asas duplas graciosas, e quase parecidas com penas, que cercam a glória central e são feitas claramente como parte dela. Enquanto o pensamento se fortalece e se expande, essas lindas asas mudam de cor para o violeta, quase se transformando em pétalas de uma flor, e se sobrepõem em um padrão intrincado, mas muito impressionante. Isso nos dá um vislumbre muito interessante da formação e do crescimento desses formatos na matéria superior.

Anseio intelectual – a forma retratada na figura 43 assemelha-se com a da figura 15, mas, linda como aquela era, esta representa na realidade um pensamento bem mais elevado e grandioso e sugere um desenvolvimento muito mais avançado da parte do pensador. Temos aqui uma grande lança ou lápis nítido de um violeta puro pálido que indica devoção ao ideal mais elevado, definido e fortalecido por uma manifestação finíssima do mais nobre desenvolvimento do intelecto. Aquele que pensa assim já deve ter entrado no Caminho da Santidade, pois ele aprendeu a usar o poder do pensamento nesse sentido. Nota-se que nas duas cores há uma forte mistura da luz branca que sempre indica o poder espiritual incomum.

Definitivamente, o estudo dessas formas-pensamento deve ser uma lição prática muito impressionante, pois a partir dela podemos saber o que evitar e o que cultivar, além de aprender aos poucos a apreciar como é tremenda nossa responsabilidade pelo exercício de tamanho poder. De fato, é certamente verídico, como dissemos no início, que pensamentos são coisas pujantes, e cabe a nós lembrar que cada um os geramos dia e noite sem parar. Veja que grande felicidade esse conhecimento nos traz e com que tamanha glória podemos utilizá-lo quando sabemos de alguém com mágoa ou sofrimento. Muitas vezes, aparecem circunstâncias que nos impedem de dar uma ajuda física com palavras ou ações, por mais que desejemos fazer isso, mas não há circunstância em que a ajuda pelo pensamento não possa ser dada e nenhum caso em que ela não produza um resultado definido. Muitas vezes, pode acontecer de no momento nosso amigo estar ocupado demais com seu próprio sofrimento, ou talvez animado demais, para receber e aceitar qualquer sugestão de fora, mas logo chega uma hora em que nossa forma-pensamento consegue penetrar e descarregar e daí, com certeza, nossa solidariedade produzirá seu resultado devido. É de fato verdade que a responsabilidade por usar tamanho poder é grande, mas não devemos evitar nosso dever nesse caso. Lamentavelmente, é verdade que muitos homens de modo inconsciente usam seu poder de pensamento em grande parte para o mal, mas isso só reforça ainda mais a necessidade para aqueles que começam a entender um pouco a vida de utilizarem o pensamento com consciência e para o bem. Temos sob nosso comando um critério infalível, jamais poderemos abusar desse forte poder do pensamento se o empregarmos sempre em uníssono com o grande esquema divino da evolução para a exaltação de nosso companheiro.

Pensamentos úteis

As figuras de 48 a 54 foram resultados de uma tentativa sistemática de enviar um pensamento útil por um amigo que nos forneceu os esboços. Ele recebeu, em um tempo definido por dia, em uma hora determinada. Em alguns casos, as formas foram vistas pelo emissor, mas em todos eles foram percebidas pelo destinatário, que enviou na hora esboços do que vira, na mensagem seguinte ao emissor, que gentilmente nos deu as seguintes notas relativas a elas:

"Nos desenhos coloridos anexos, as penas azuis parecem ter representado o elemento mais devoto do pensamento. As formas amarelas acompanharam o esforço de comunicar firmeza intelectual ou força mental e coragem. O rosa aparecia quando o pensamento estava mesclado à solidariedade afetiva. Quando o emissor (A) formulava seu pensamento de forma deliberada na hora escolhida, o destinatário (B) relatava ter visto uma grande forma clara como as figuras 48, 49 e 54. Esta última persistiu por alguns minutos, transmitindo constantemente sua "mensagem" de um amarelo luminoso sobre B. Se, porém, A estivesse passando inevitavelmente por algum obstáculo durante o experimento – como, por exemplo, saindo do recinto – ele ocasionalmente veria suas "formas" se romperem em globos menores, ou formatos, como as figuras 50, 51 e 52, e B relataria um truncamento na recepção. Dessa forma, muitos detalhes poderiam ser checados e comparados com as pontas opostas da linha, e a natureza da influência comunicada oferecia outro meio de verificação. Em uma ocasião, A foi perturbado em seu esforço de enviar um pensamento de conotação azul-rosa pela ansiedade de que a natureza do elemento rosa não deveria ser malcompreendida. B relatou então ter visto um globo bem definido como na figura 54, mas que desapareceu de repente, sendo substituído por um cortejo de pequenos triângulos verde-claros, como na figura 53. Esses poucos desenhos dão uma leve noção das várias formas geométricas e florais vistas, embora nenhuma obra feita com tinta ou giz pareça capaz de representar a beleza radiante de suas cores vivas".

Formas construídas pela música

Antes de encerrar este pequeno tratado, talvez seja interessante para nossos leitores apresentarmos alguns exemplos de outro tipo de formas desconhecidas àqueles confinados aos sentidos físicos como seu meio de obter informação. Muitas pessoas sabem que o som está sempre associado com cor – quando, por exemplo, uma nota musical é tocada, um clarão da cor correspondente a ela pode ser visto por aqueles cujos sentidos mais aguçados já estão desenvolvidos. Não parece ser de conhecimento geral que o som produz tanto forma quanto cor, e que cada composição musical deixa para trás uma impressão dessa natureza, que persiste por algum tempo considerável e é claramente visível e inteligível àqueles com olhos para ver. Um formato desses talvez não seja tecnicamente uma

Fig. 48 Pensamentos úteis.

Fig. 49 Pensamentos úteis.

Explicativo das Formas-Pensamento 103

Fig. 50 Pensamentos úteis.

Fig. 51 Pensamentos úteis.

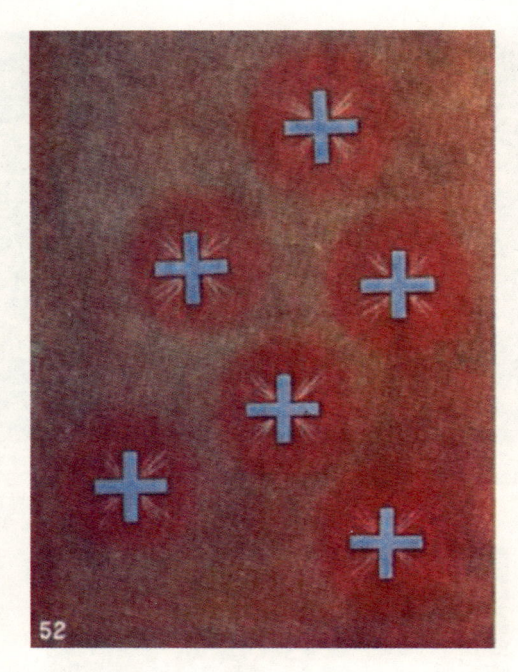

Fig. 52 Pensamentos úteis.

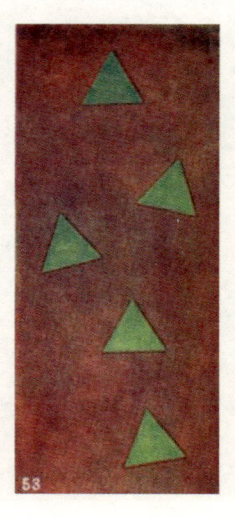

Fig. 53 Pensamentos úteis.

Explicativo das Formas-Pensamento 105

Fig. 54 Pensamentos úteis.

forma-pensamento – a menos que nós o consideremos, como podemos fazer, como o resultado do pensamento do compositor manifestado pela habilidade do músico com seu instrumento.

Algumas dessas formas são bem admiráveis e impressionantes e, naturalmente, sua variedade é infinita. Cada classe de música tem seu tipo de forma e o estilo do compositor aparece com muita clareza na forma enquanto sua música se desenvolve, assim como o caráter de um homem aparece em sua caligrafia. Outras possibilidades de variação são introduzidas pelo tipo de instrumento em que a música é tocada e também pelos méritos do músico. A mesma composição, se tocada com precisão, sempre desenvolverá a mesma forma, mas esta será bem maior quando tocada em um órgão de igreja ou por uma banda militar do que quando é tocada no piano, e não só o tamanho, mas também a textura da forma resultante será bem diferente. Haverá também uma diferença semelhante na textura entre o resultado de uma música tocada no violino e a mesma executada em uma flauta. Mais uma vez, a excelência do desempenho tem seu efeito e há uma diferença maravilhosa entre a beleza radiante da forma produzida pela obra de um verdadeiro artista, perfeita tanto em expressão como em execução, e a enfadonha e sem qualidade que representa o esforço do músico desajeitado e mecânico. Algo como a imprecisão na execução naturalmente deixa um defeito correspondente na forma, de modo que o caráter exato da apresentação se mostra com muita clareza tanto para o espectador clarividente quanto para o ouvinte.

É óbvio que, se o tempo e a capacidade permitissem, centenas de livros poderiam ser preenchidos com os desenhos das formas criadas por diferentes trechos de músicas sob condições distintas, de tal modo que o máximo que se pode fazer, dentro de algum limite razoável, é dar alguns exemplos dos principais tipos. Pelo objetivo deste livro, resolvemos limitá-las a três, pegar tipos de músicas que apresentem contrastes bem reconhecíveis e, em nome da simplicidade, em comparação, apresentá-las todas como apareceram quando tocadas em um mesmo instrumento: um ótimo órgão de igreja. Em cada uma de nossas placas aparece tanto a igreja quanto a forma-pensamento que se eleva ao céu acima dela. Devemos lembrar que, embora os desenhos estejam em escalas bem diferentes, a igreja é a mesma em todos os casos e, portanto, o tamanho relativo da forma de som pode ser calculado com facilidade. Como a altura real da torre da igreja é de menos de 30 metros, observa-se que a forma de som produzida por um órgão potente tem um tamanho enorme.

Essas formas permanecem como construções coerentes por algum tempo considerável – por pelo menos uma ou duas horas – e durante todo esse período elas emitem suas vibrações características em todas as direções, assim como as formas-pensamento e, se a música for boa, o efeito dessas vibrações só eleva os homens em cujos instrumentos eles tocam. Por isso, a comunidade deve sentir uma verdadeira gratidão ao músico que emite tantas influências úteis, pois ele pode afetar para sempre centenas de pessoas que nunca viu e nunca conhecerá no plano físico.

Mendelssohn – a primeira dessas formas, pequena e simples, está desenhada na Placa M. Observa-se que temos aqui uma forma representando aproximadamente um balão, com um contorno ondulado composto de uma linha dupla violeta. Dentro dela há um arranjo de várias linhas coloridas quase paralelas com esse contorno e, depois, outro arranjo um pouco semelhante que parece cruzar e interpenetrar o primeiro. Esses dois conjuntos de linhas saem evidentemente do órgão da igreja e, por consequência, seguem para cima pelo telhado em seu curso, pois a matéria física claramente não é um obstáculo a sua formação. No centro vazio da forma flutuam várias meias-luas pequenas arranjadas aparentemente em quatro linhas verticais.

Placa M. Música de Mendelssohn.

Vamos tentar agora dar alguma pista para o significado de tudo isso, que pode muito bem parecer desconcertante ao novato, e explicar de alguma forma sua criação. Devemos lembrar que esta é uma melodia de caráter simples tocada uma só vez e, portanto, podemos analisar a forma de um modo que seria quase impossível com um exemplar maior e mais complicado. Mas mesmo neste caso não podemos dar todos os detalhes, como veremos a seguir. Desconsiderando por um momento a borda ondulada, temos dentro dela um arranjo de quatro linhas em cores diferentes seguindo na mesma direção, com uma mais externa em azul e as outras, carmesim, amarelo e verde, respectivamente. Essas linhas são excessivamente irregulares e tortas; na verdade, cada uma delas consiste de um número de linhas curtas em vários níveis reunidas na perpendicular. Parece que cada uma dessas linhas representa uma nota musical e a irregularidade de seu arranjo indica a sequência delas; portanto, cada uma dessas linhas tortas significa o movimento de uma das partes da melodia e as quatro que se mexem quase juntas simbolizam, respectivamente, o soprano, o contralto, o tenor e o baixo, embora elas não apareçam necessariamente nessa ordem em sua forma astral. Aqui é necessário inserir mais uma explicação. Mesmo com uma melodia relativamente simples como essa, há matizes e nuances tão lindamente modulados, que não são reproduzidos em qualquer escala ao nosso alcance; portanto, pode-se afirmar que cada uma das linhas curtas que expressa uma nota tem uma cor própria, de modo que, embora como um todo a linha externa dê uma impressão de uma tonalidade azul e a próxima dentro dela de bordô, cada uma varia em cada milímetro de seu comprimento e, por isso, o que é mostrado não é uma reprodução correta de cada matiz, mas apenas a impressão geral.

Os dois conjuntos de quatro linhas que parecem se cruzar são provocados por duas seções da melodia; a borda ondulada cercando o todo é o resultado de vários floreios e arpejos, e as meias-luas no centro representam acordes isolados ou *staccatos*. Naturalmente, os arpejos não são totalmente cor de violeta, pois cada trecho repetido tem uma coloração diferente, mas no todo eles se aproximam mais dessa cor do que de qualquer outra. A altura dessa forma acima da torre da igreja é provavelmente de um pouco mais de 30 metros, mas, como ela também se estende para baixo pelo teto da igreja, seu diâmetro perpendicular total pode ser de aproximadamente 45 metros. Ela é produzida por um das "Lieder ohne Wörte", de Mendelssohn, e é característica do trabalho delicado e caprichado que tanto aparece como o resultado de suas composições.

A forma inteira é vista projetada contra um fundo fulgurante de muitas cores, na verdade uma nuvem que a cerca em cada lado, provocada pelas vibrações emitidas por ela em todas as direções.

Gounod – na Placa G, temos um tipo totalmente diferente: um coro retumbante de Gounod. Como a igreja na ilustração é a mesma, é fácil calcular que neste caso o ponto mais elevado da forma deve estar a 182 metros acima da torre, embora o diâmetro perpendicular da forma seja um pouco menor do que isso, pois o organista evidentemente encerrou minutos antes e o formato aperfeiçoado flutua alto no ar, com uma definição clara e meio esférica, embora seja na verdade uma esfera oval. Ela é oca, como todas essas formas, pois aumenta de tamanho devagar, irradiando aos poucos de seu centro, mas crescendo proporcionalmente menos nítida e com uma aparência de certo modo mais etérea, até enfim perder coerência e desvanecer-se completamente como acontece com uma espiral de fumaça. A glória dourada que a cerca e penetra indica, como antes, a radiação de suas vibrações, o que neste caso mostra o amarelo dominante em uma proporção muito maior do que no caso da música mais suave de Mendelssohn.

Placa G. Música de Gounod.

    A tonalidade aqui é muito mais brilhante e sólida do que na Placa M, pois esta música é mais uma sequência esplêndida de acordes estrondosos do que um fio de uma melodia sussurrada. O artista tentou dar o efeito de acordes em vez de notas separadas, sendo estas quase impossíveis em uma escala tão pequena como essa. Portanto, é muito mais difícil acompanhar aqui o desenvolvimento da forma, pois, nessa composição muito mais longa, as linhas se cruzaram e misturaram, até termos o pequeno, mas deslumbrante, efeito geral pretendido pelo compositor de nos fazer sentir – e ver, se conseguirmos. Contudo, é possível discernir um pouco do processo que constrói a forma, e o ponto mais fácil para começar é o mais baixo no lado esquerdo quando se examina a placa. A grande protuberância violeta lá é evidentemente o acorde inicial de uma frase e, se seguirmos a linha externa da forma acima e ao redor da circunferência, podemos ter alguma ideia do caráter dessa frase. Um exame minucioso revelará mais duas outras linhas que seguem quase paralelas com essa mais externa e mostram sequências semelhantes de cor em uma escala menor, e elas podem indicar uma repetição mais baixa da mesma frase.

Uma análise cuidadosa dessa natureza logo nos convencerá da existência de uma ordem bem real nesse caos constante e veremos que, se fosse possível fazer uma reprodução dessa glória ardente que deve ser precisa até o mínimo detalhe, também deve ser possível desembaraçá-la ao máximo e atribuir cada toque adorável de cor fulgurante a cada nota que a criou. Não se deve esquecer que essa ilustração tem bem menos detalhes do que a Placa M; por exemplo, cada um desses pontos ou projeções tem dentro de si como partes integrantes pelo menos as quatro linhas ou faixas de cor variável que foram mostradas separadamente na Placa M, mas aqui elas estão mescladas em um tom e só o efeito geral do acorde é apresentado. Em M, combinamos na horizontal e tentamos mostrar as características de um número de notas em sequência mescladas em uma, mas para manter distinto o efeito das quatro partes simultâneas usando uma linha de cor diferente para cada uma delas. Em G, tentamos exatamente o inverso, ao combinarmos na vertical, e misturarmos, não as notas em sequência de uma parte, mas os acordes, cada um contendo provavelmente seis ou oito notas. A verdadeira aparência combina esses dois efeitos com uma riqueza inexprimível de detalhes.

Wagner – ninguém que tenha se dedicado a estudar essas formas musicais hesitaria em atribuir a cordilheira maravilhosa retratada na Placa W ao gênio de Richard Wagner, pois nenhum outro compositor construiu edifícios sonoros com tamanho poder e decisão. Neste caso, temos uma construção imensa em formato de sino, com pelo menos 274 metros de altura e um pouco menos do que isso em diâmetro na parte de baixo, flutuando no ar acima da igreja de onde saiu. É oca, como a forma de Gounod, mas, diferentemente dela, é aberta embaixo. A semelhança com as muralhas recuadas de uma montanha é quase perfeita e intensificada pelas massas revoltas de nuvem que rolam entre os penhascos e dão o efeito da perspectiva. Não houve tentativa neste desenho de mostrar o efeito de notas ou acordes únicos; cada cadeia de rochas falsas representa em tamanho, formato e cor apenas o efeito geral de uma das seções da composição musical como vista a distância. Mas se deve entender que, na realidade, tanto essa como a forma apresentada na Placa G são bem cheias de detalhes minuciosos, como retratado na Placa M, e todas essas magníficas massas de cor são formadas por muitas faixas relativamente pequenas, que não seriam visíveis separadamente na escala na qual é desenhada. O resultado claro é que cada pico da montanha tem sua própria

Placa W. Música de Wagner.

coloração brilhante, como se vê na ilustração – um jato esplêndido de cor vívida, brilhando na glória de sua própria luz viva, espalhando seu esplendor resplandecente em toda a região ao redor. Mas, em cada uma dessas massas de cor, outras cores tremulam constantemente, como fazem sobre a superfície do metal derretido, de modo que os brilhos e cintilações desses maravilhosos edifícios astrais não podem ser descritos por nenhuma palavra física.

Um aspecto surpreendente nessa forma é a diferença radical entre os dois tipos de música que ocorrem nela, uma produzindo as massas rochosas angulares e a outra as nuvens redondas revoltas entre elas. Outros *motifs* são mostrados pelas faixas largas de azul, rosa e verde que aparecem na base do sino, e as linhas reparadoras de branco e amarelo que estremecem entre elas provavelmente são produzidas por um acompanhamento ondulado de arpejo.

Nessas três placas desenhou-se apenas a forma criada diretamente pelas vibrações sonoras, embora ela, quando vista pelo clarividente, costume aparecer cercada por muitas outras formas menores, resultado dos sentimentos pessoais do músico ou das emoções despertadas no público pela música. Recapitulando brevemente: na Placa M temos uma forma pequena e relativamente simples representada em detalhes consideráveis, algo do efeito de cada nota apresentada; na Placa G temos uma forma mais elaborada de um caráter muito diferente, delineada com menos detalhes, pois não se tentou reproduzir as notas separadas, mas apenas mostrar como cada acorde se expressa em cor e forma; na Placa W temos uma forma ainda maior e mais rica, em cuja descrição não há todos os detalhes para que se possa apresentar aproximadamente o efeito total da composição.

Naturalmente, todo som deixa sua impressão sobre a matéria astral e mental – não só aquelas sequências ordenadas de sons que chamamos de música. Um dia, talvez, as formas construídas por aqueles sons menos melodiosos possam ser retratadas, embora eles estejam além da alçada deste tratado; enquanto isso, quem tiver interesse neles pode ler um relato no pequeno livro *The Hidden Side of Things*.[4]

É aconselhável lembrarmos sempre que há um lado oculto à vida, que cada ato, palavra e pensamento têm sua consequência no mundo invisível – que está sempre tão perto de nós –, e que, geralmente, esses resultados invisíveis são de uma importância infinitamente maior do que aqueles visíveis a todos no plano físico. O sábio, tendo consciência disso, leva sua vida de acordo com esse princípio e observa todo o mundo em que vive e não apenas sua camada externa. Assim, ele se livra de uma infinidade de problemas e deixa sua vida não só mais feliz, como também mais útil para seus companheiros. Mas fazer isso requer conhecimento – aquele conhecimento que é poder, e no nosso mundo ocidental ele é obtido de fato com a leitura da literatura teosófica.

Não nos basta existir, desejamos viver com inteligência. Mas, para viver, devemos saber, e, para saber,

---
4. Escrito por C. W. Leadbeater.

devemos estudar, e aqui está um campo vasto aberto diante de nós, se entrarmos nele e colhermos os frutos do esclarecimento. Então, não percamos mais tempo nos calabouços escuros da ignorância, mas nos aproximemos do glorioso brilho do sol daquela sabedoria divina que nos dias atuais os homens chamam de Teosofia.

MADRAS® Editora — CADASTRO/MALA DIRETA

Envie este cadastro preenchido e passará a receber informações dos nossos lançamentos, nas áreas que determinar.

Nome _____
RG _____ CPF _____
Endereço Residencial _____
Bairro _____ Cidade _____ Estado ____
CEP _____ Fone _____
E-mail _____
Sexo ❏ Fem. ❏ Masc.   Nascimento _____
Profissão _____ Escolaridade (Nível/Curso) _____

Você compra livros:
❏ livrarias   ❏ feiras   ❏ telefone   ❏ Sedex livro (reembolso postal mais rápido)
❏ outros: _____

Quais os tipos de literatura que você lê:
❏ Jurídicos   ❏ Pedagogia   ❏ Business   ❏ Romances/espíritas
❏ Esoterismo   ❏ Psicologia   ❏ Saúde   ❏ Espíritas/doutrinas
❏ Bruxaria   ❏ Autoajuda   ❏ Maçonaria   ❏ Outros:

Qual a sua opinião a respeito desta obra? _____
_____

Indique amigos que gostariam de receber MALA DIRETA:
Nome _____
Endereço Residencial _____
Bairro _____ Cidade _____ CEP _____

Nome do livro adquirido: ***Formas de Pensamento***

Para receber catálogos, lista de preços e outras informações, escreva para:

MADRAS EDITORA LTDA.
Rua Paulo Gonçalves, 88 – Santana – 02403-020 – São Paulo/SP
Tel.: (11) 2281-5555 – (11) 98128-7754
www.madras.com.br

MADRAS® Editora

Para mais informações sobre a Madras Editora,
sua história no mercado editorial
e seu catálogo de títulos publicados:

Entre e cadastre-se no site:

www.madras.com.br

Para mensagens, parcerias, sugestões e dúvidas, mande-nos um e-mail:

marketing@madras.com.br

SAIBA MAIS

Saiba mais sobre nossos lançamentos,
autores e eventos seguindo-nos no facebook e twitter:

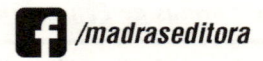

@madrased

/madraseditora